JN002112

動かしながらゼロから学ぶ

Linux カーネルの教科書

末安 泰三 著
日経Linux 編

日経BP

本書で利用する実習用ファイルの入手方法

本書を購入した方は、実習用ファイルを読者限定サイトから入手できます。電子版を購入された方も同様です。

読者限定サイトは、上記の公式ページをページを開き、「読者限定サイト」をクリックして開きます。認証画面が出た場合は、ユーザー名「linux」、パスワード「download」を入力してください。記事ごとにコンテンツが並んでいます。

訂正・補足情報について

本書の公式ページ「https://info.nikkeibp.co.jp/media/LIN/atcl/books/082500024/index.html」（短縮URL：https://nkbp.jp/lin-kernel-book）に掲載しています。

はじめに

1991年に一人の大学生が開発を始めた「Linux」（リナックス）というOSは、今や世界中で普及し、さまざまな領域で使われています。2000年頃にLinuxブームが起き、サーバー用途での活用が急速に進んだことを覚えておられる方も多いでしょう。

案外知られていないことですが、スマートフォンなどのモバイル機器で使われる「Android」というOSも、実はLinuxの一種です。Androidの開発元である米Google社によると、アクティブに利用されているAndroid搭載機器の数は2019年時点で25億に達するそうです。それを勘案すると、Linuxは世界一普及しているOSであるともいえます。

Linuxの心臓部である「カーネル」は、非常に多くの機能を備えています。例えば、周辺機器を制御するためのソフトウエアである「デバイスドライバ」もカーネルに含まれています。そうした機能を最大限に活かすには、カーネルについてのある程度の知識を身に付けておく必要があります。

幸い、LinuxのカーネルはOSS（Open Source Software）として開発されていて、ソースコードがすべて公開されています。ソースコードを調べることで、カーネルの機能の詳細や動作の仕組みなどを完全に知ることができます。

ただし、Linuxカーネルのソースコードは量が非常に多く、読み解くのは大変です。慣れていなければどこから読めばよいのかも分からないほどです。本書がターゲットにしているバージョン5.4系のカーネルのソースコードは、全体で2700万行以上あります。また、カーネルのソースコードを読み解くには、CPUの機能などについての幅広い背景知識も求められます。

本書は、Linuxカーネルについて知りたいという方に、学習の「入り口」を提供するためのものです。カーネルの全体像をつかめるような概要説明にはじまり、主だった機能をいくつかピックアップして、その仕組みを詳しく解説していくという構成になっています。機能解説の章には実験用のプログラムを用意し、それを実際に動かすことで、理解を深められるように工夫しました。

本書がカバーする範囲はLinuxカーネルのごくわずかな部分ですが、本書をスタートにして、奥深い世界にぜひ足を踏み入れてください。

Contents

第7章 物理メモリー管理の仕組み

第8章 ファイルシステムの仕組み

第1章

Linuxカーネルの基礎

本章では、Linux カーネルとは何か、どのような機能を提供していて、どのような仕組みになっているのかなどについての全体像を解説します。ここで紹介する機能の一部は、後続の章で詳しく解説しますが、まずはここで大まかなイメージを把握しておきましょう。

1-1 Linuxカーネルとは何か

コンピュータのハードウエアを制御して、アプリケーションの実行環境や対人インタフェースなどを提供するのがOS（Operating System）の役割です。主な役割としては、(1) キー入力やマウスクリックをはじめとするコンピュータを操作するためのインタフェースを提供する、(2) アプリケーションが共通で使う機能を提供する、(3) 面倒で複雑なハードウエア制御をアプリケーションの代わりに担当する、といったものが挙げられます。

OSは一般的に複数のソフトウエア部品から構成されます。そのソフトウエア部品のうち、中核的な役割を担うのが「カーネル」(kernel) です。カーネルとは、植物の種子の内部にある「仁」（じん）を示す英単語です。OSのユーザーインタフェース（あるいはアプリケーションインタフェース）部分を種子の殻（シェル*1）に見立て、その内部にある重要な部分だということで、この名が付けられています（**図1**）。

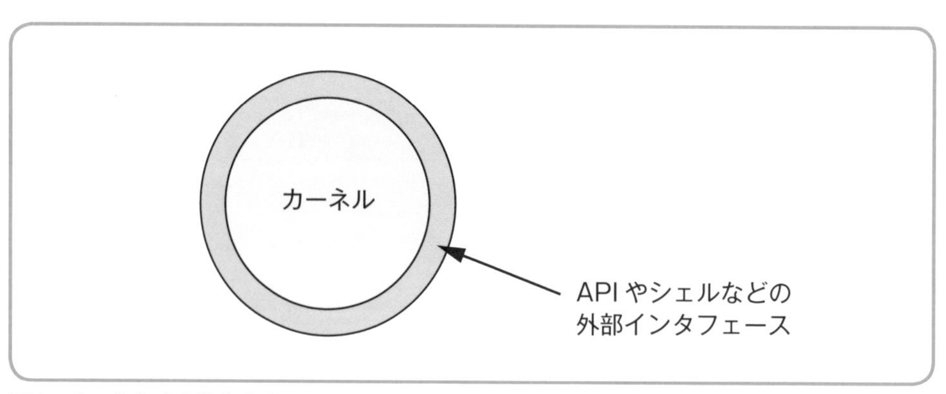

図1　カーネルの名前の由来
カーネルとは、植物の種子の内部にある「仁」（じん）のことです。OSのユーザーインタフェース部分を種子の殻に、その内部にある重要な部分を仁に見立ててこの名が付けられています。

カーネルが担当する機能は、OSによって異なります。例えば、メモリー管理とプログラムの実行制御については、多くのOSでカーネルが担当します。一方、データを「ファイル」の形で読み書きできるようにするファイルシステムやハードウエア制御用のデバイスドライバなどについては、カーネルとは別のソフトウエアにしているOSもあります。

Linuxのカーネルは、ファイルシステムやデバイスドライバなども包含していて、担当する機能の範囲が比較的広い方に分類されます（**図2**）。

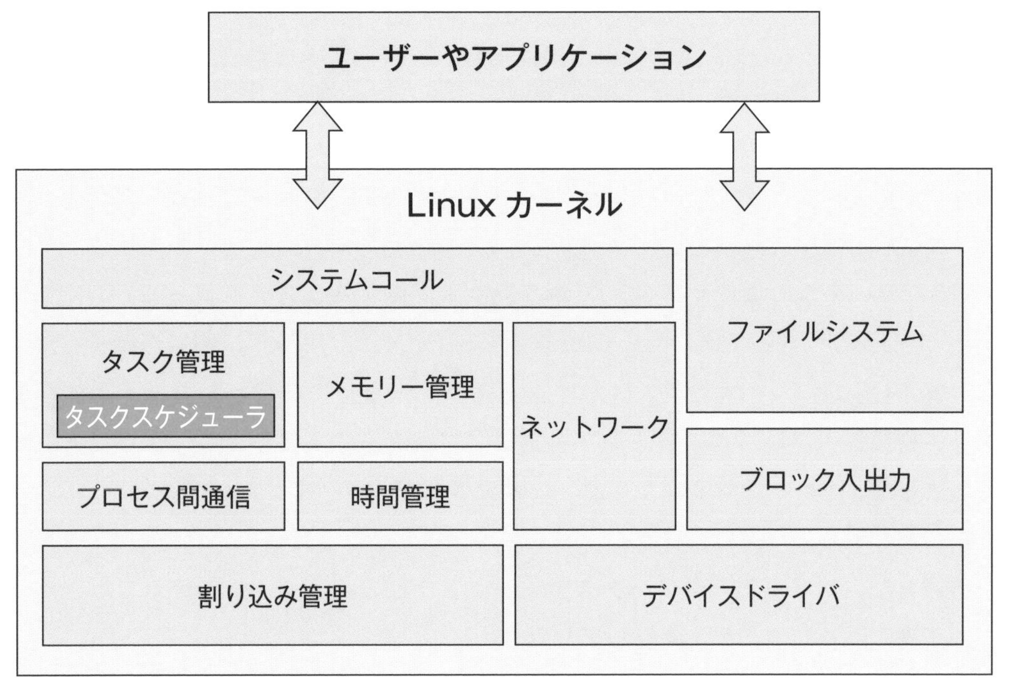

図2　Linuxカーネルが担当する主な機能
Linuxではカーネルの担当領域が広く、ハードウエア制御用のデバイスドライバやファイルシステム、ネットワーク機能などもカーネルに含まれます。

本章では、このうちカーネルの主要な機能であるタスク管理とメモリー管理、デバイスドライバを含むデバイス管理、ファイルシステム、ネットワークについて簡単に説明します。タスク管理について第4章、メモリー管理については第5章と第7章、その両者に関係するコンテキストスイッチについては第6章、ファイルシステムについては第8章でやや詳しく解説します。

安定性やセキュリティ、メンテナンス性などの向上を狙って、カーネルが担当する機能を極端に少なくしたOSもあります。そうしたOSのカーネルは「マイクロカーネル」と呼ばれます。マイクロカーネルを採用するOSには、**GNU Hurd** * や **MINIX** *、

＊1　ユーザーインタフェースを提供するソフトウエアを「シェル」と呼ぶのはこのためです。
【GNU Hurd】GNUプロジェクト（後述）が開発するマイクロカーネルと、それを採用するOSのことです。公式Webページの URL は「https://www.gnu.org/software/hurd/」。
【MINIX】コンピュータ科学者であるAndrew Tanenbaum氏が開発した教育用のOSです。最新版であるバージョン3.0系列の公式Webページの URL は「https://www.minix3.org/」。

初期のWindows NTなどがあります。マイクロカーネルに対してLinuxのようなカーネルは、一枚岩を意味する「モノリス」という単語に由来する「モノリシックカーネル」と呼ばれます。

UNIX互換システムコールを提供

アプリケーションがカーネル配下の機能を使ったり、ハードウエア資源を操作したりする場合には、一般に「システムコール」と呼ばれる仕組みを使って処理をカーネルに依頼します。

Linuxカーネルの機能面での最大の特徴は、提供するシステムコールがUNIXというOSと、ほぼ共通であるということです。UNIXは、1969年に開発が始まった歴史のあるOSです。マルチタスクやマルチユーザーなどの当時としては先進的な機能を、移植性の高いプログラミング言語でコンパクトに実装したことなどで人気を博しました。1980年代前半頃までは主に教育機関で普及しましたが、1980年代に入ってからはビジネス用途にも普及し、従来メインフレームで行っていた処理を、UNIXを搭載した汎用サーバーやワークステーションなどのオープンシステムで置き換える「ダウンサイジング」が流行しました。

普及に伴って、UNIXにはさまざまな派生版が開発されました。また、UNIXと類似する機能を持つOSも多数開発されました。そうなると問題になってくるのが、アプリケーションの互換性です。さまざまなUNIX系OS同士でアプリケーションの互換性を保つための標準化の動きが生じ、「**POSIX** *」などの共通インタフェース規格が定められました。Linuxカーネルでは、POSIXなどに準拠する形でシステムコールが提供されています。

Linuxカーネルで利用できるシステムコールについては、次のコマンドを実行することで調べられます。

```
$ man syscalls ↵
```

なお、システムコールには共通性がありますが、Linuxカーネルは、既存のUNIX系OSのソースコードを流用せずに一から開発されています。

Linuxはカーネルの名称

「Linux」とは本来、カーネル部分のみを指す名称です。Linuxカーネルは、1991年に当時フィンランドのヘルシンキ大学の学生であったLinus Torvalds（リーナス・トーバルズ）氏が開発を始めました。同氏は、2020年時点でもLinuxカーネルの開発を統括しています。Linuxという名称は、同氏の名前とUNIXの名称を組み合わせて名付けられました。

このLinuxカーネルに、ライブラリやシェルなどの基本コマンド、GUIシステムといったカーネル以外のOS部品を加え、一つのOSとして配布・利用できる形にまとめたものが「Linuxディストリビューション」です。組み合わせるソフトウエアや設定などの違いによってさまざまなLinuxディストリビューションが存在しています。例えば、デスクトップ用途に普及している「Ubuntu」や、エンタープライズ分野で普及している「Red Hat Enterprise Linux」「CentOS」などのディストリビューションがあります。現在では単にLinuxと言った場合、Linuxディストリビューションのことを指すこともあります。

多くのLinuxディストリビューションが、カーネル以外のOS部品として、「GNUプロジェクト」というフリーなUNIX互換システムを作成する目的で活動するプロジェクトの成果物を利用していることから、こうしたLinuxディストリビューションを「GNU/Linuxシステム」と呼ぶこともあります。

システムコールがUNIXと共通であることから、LinuxにはUNIX向けの各種プログラムを移植しやすい特徴があります。GNUプロジェクトの成果物をスムーズに利用できたのもこの特徴のためです。

【POSIX】UNIX系OSの間でのアプリケーションの移植性を高めることを目的にIEEEが策定した共通API（Application Programming Interface）規格。POSIXの一部としてシステムコールについても定められています。

1-2 Linuxカーネルを学習する意義

Linuxカーネルを学習する動機や意義は人によってさまざまでしょう。

しかし、自動車のエンジンやトランスミッションの仕組みを理解することで、より効率的な運転が可能になるように、OSの中核部品であるカーネルの動作を理解すれば、アプリケーションやシステム全体を効率的に稼働できるようになるといえます（**図3上**）。例えば、ある周辺機器を動かすのに必要なデバイスドライバにカーネル空間で動作するものとユーザー空間で動作するものの二つがあった場合、基本的には前者の方が処理は高速です。なぜ高速なのかという理屈を知っておけば、適切なデバイスドライバを選択できます。

OS（ディストリビューション）とカーネルが別々に開発されており、しかもカーネルの開発速度が速いLinuxならではの意義もあります。

ディストリビューションの開発者は、採用するカーネルのバージョンを選択し、それを独自の基準でカスタマイズしてディストリビューションに組み込みます。そのため、最新のカーネルにしか存在しない機能など、利用者が必要なカーネル機能がディストリビューションによっては利用できないことがあります。そうした場合には、利用者自身が最新カーネルをインストールしたり、カーネルをカスタマイズしたりする必要があります（**図3中**）。こうしたときにLinuxカーネルに関する知識が不可欠となります。

また、カーネルの設定やソースコードを変更できるようになれば、カーネル機能を自在に制御できるようになります（**図3下**）。例えば筆者は、シリアルATAのHBA（Host Bus Adapter）機能が公式には提供されていない某メーカーのSAS RAIDカードを、Linuxカーネルのソースコードを1行だけ書き換えることで、HBA機能を有効にして利用しています＊2。

アプリケーションやシステム全体を効率的に稼働できるようになる

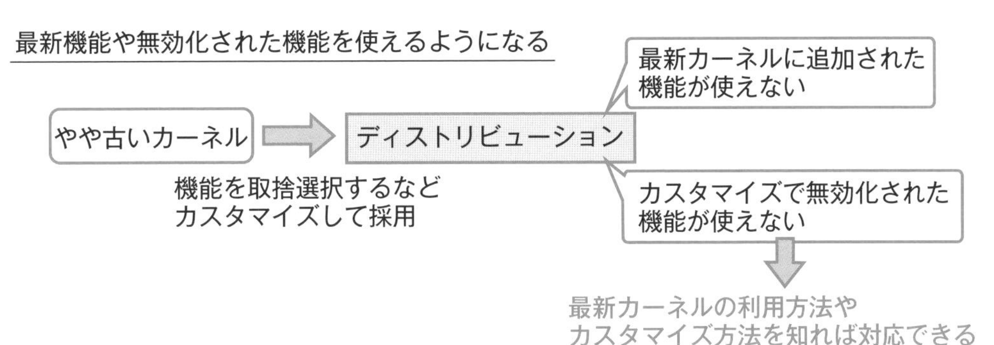

カーネル機能を自在に制御できるようになる

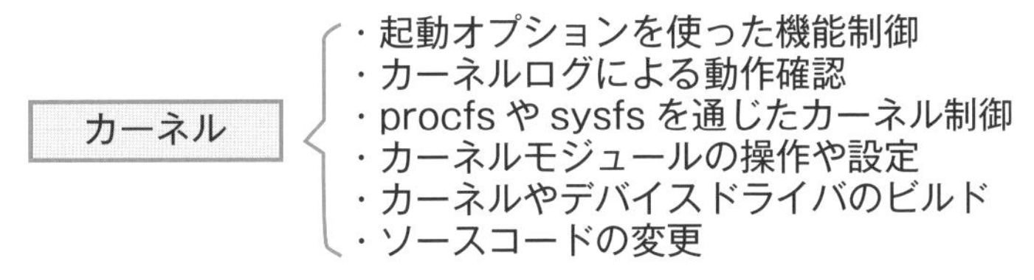

図3　Linuxカーネルを学習する意味
Linuxカーネルについて知ることで、アプリケーションやシステム全体を効率的に動かせるようになります。また、最新機能や無効化された機能の利用や、機能の自由な制御などが可能になります。

＊2　興味がある方は、筆者のブログの記事（http://tsueyasu.blogspot.com/2017/10/hpsamegaraidsas.html）を参照してください。

1-3 カーネルはイベント駆動型

Linuxカーネルに限らず、多くのOSのカーネル（あるいはOSそのもの）は、ほとんどの場合は自発的には動作しません。カーネルの実行コードそのものは常時メモリーに読み込まれた状況になっていますが、通常は実行されず、ハードウエアやコマンド、アプリケーションなどから何らかの指令があった場合にだけ実行されます。

このように、何らかのイベントが動作の引き金となるタイプのプログラムを「イベント駆動型プログラム」と呼びます。限られた処理だけを実施すればよいアプリケーションプログラムと違い、カーネルは要求に応じて多種多様な処理を実施しなければなりませんからイベント駆動型プログラムとして作成するのが自然です。

カーネルの処理のきっかけとなるイベントには主に三つの種類があります（**図4**）。周辺機器からCPUに送られる信号による「ハードウエア割り込み」（外部割り込み）、ソフトウエアの動作によってCPU内で発生する「ソフトウエア割り込み／例外」（内部割り込み）、そしてアプリケーションが発行する「システムコール」の3種類です。

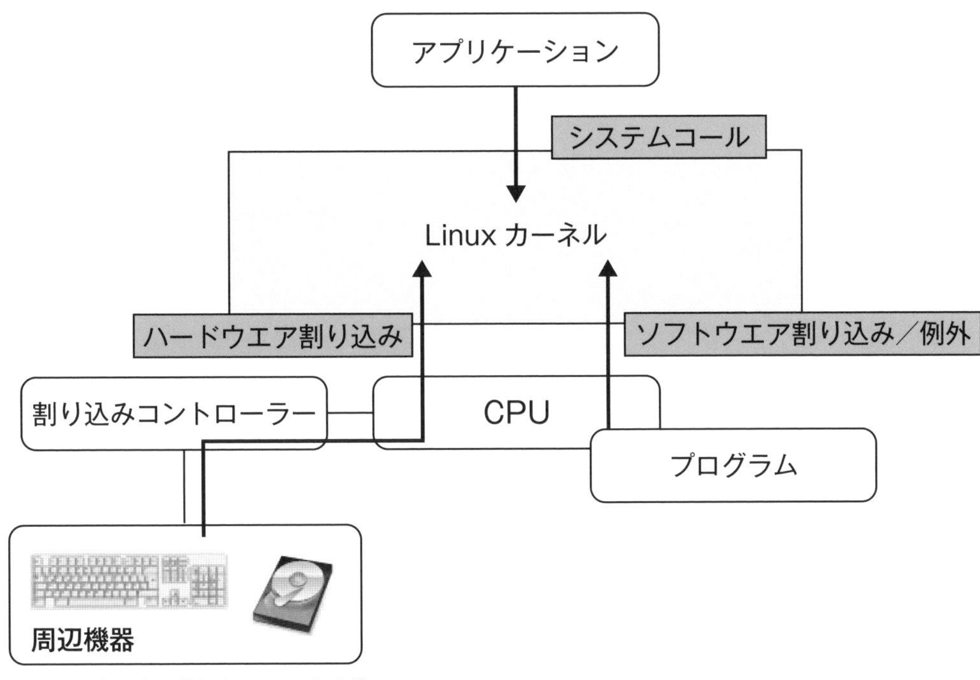

図4　カーネルを駆動させる三つのトリガー
カーネルは基本的に、周辺機器からCPUに送られる信号による「ハードウエア割り込み」（外部割り込み）、ソフトウエアの動作によってCPU内で発生する「ソフトウエア割り込み／例外」（内部割り込み）、そしてアプリケーションが発行する「システムコール」のいずれかによって処理を始めます。

割り込みとは

「割り込み」とは、現在処理中の作業を一時中断して別の処理を実施すること、またはその仕組みのことです。ほとんどのCPUは、割り込みをサポートしています。

割り込みによってCPUが実施する処理は単純です（**図5**）。割り込みが発生するとCPUは、記憶装置の特定箇所にある「割り込みベクター」を参照し、そこに設定されているアドレス（メモリー番地）にあるプログラムを実行します。ここで実行される割り込み処理用プログラムを「割り込みハンドラー」と呼びます。

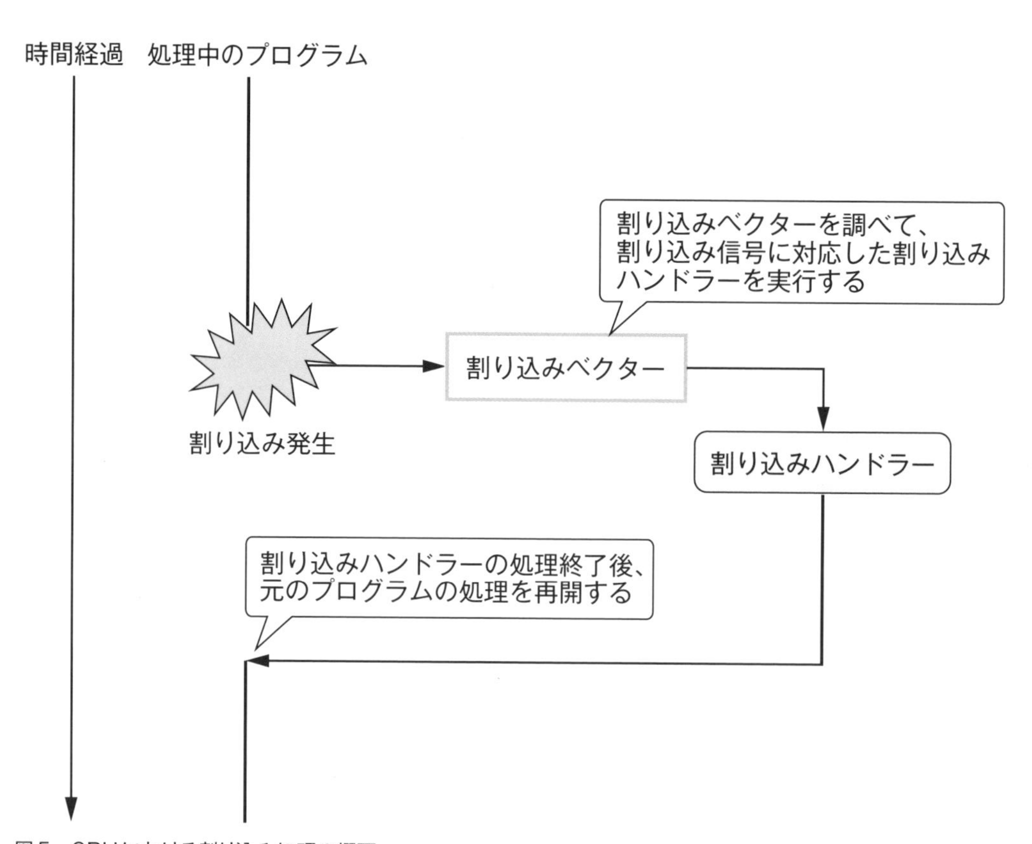

図5　CPUにおける割り込み処理の概要
割り込みが発生すると、CPUは記憶装置の特定箇所にある「割り込みベクター」を参照し、そこに設定されているアドレスにある「割り込みハンドラー」を実行します。割り込みハンドラー実行後は、割り込み前の元の処理を再開します。

割り込みハンドラー末尾には、割り込み処理を終了させる命令が記述してあり、それを実行することで割り込み前の元の処理を再開できます。複数の割り込み信号をサポートしたCPUでは、割り込みベクターに割り込み信号ごとに異なるアドレスを設定でき、異なる割り込みハンドラーを実行できます。

割り込みは、いつ状態が変化するか分からないものを取り扱う場合に便利な仕組みです。例えば、キーボードからの入力を考えてみましょう。割り込みがない場合は、キー入力が必要なプログラム内部で、ことあるごとにキーボードを調べ、キーが押し下げられているかどうか、押し下げられているキーの種類は何かなどを調査しなければなりません＊3。調査頻度が少ないとキーの反応が悪くなりますし、逆に多過ぎると他の処理の効率が下がります。一方、割り込みを利用すれば、キーが押し下げられた場合にだけキー入力処理を実施することが簡単にできます。

割り込みには、外部デバイスから割り込みコントローラーなどを通じて送られる信号による「ハードウエア割り込み」のほか、ソフトウエアの動作によってCPU内部で発生する「ソフトウエア割り込み」があります。ソフトウエア割り込みのうち、ソフトウエアの異常動作やエラーを通知するのに使われるものを「例外」と呼びます。例えば、0で除算する処理を実施した場合や、アクセスが禁止されているメモリー領域にアクセスを実施した場合などに例外が発生します。

元々はシステムコールでも利用

一般アプリケーションでは実施できないハードウエアの直接制御やカーネルの動作制御のために用意されているのがシステムコールです。割り込みは、このシステムコールの呼び出しの際にも使われていました。

システムコールはアプリケーションが呼び出しますが、アプリケーションが実施するのはあくまでも「カーネルへの処理の依頼」です。実際のシステムコール処理はカーネル自身が行います。この実行主体の切り替えに使われていたのがソフトウエア割り込みです。

例えば、x86プロセッサ向けのLinuxではソフトウエア割り込みを発生させるint命令を使ってシステムコールを呼び出していました。この割り込みによってカーネルが動作を始め、依頼された処理を実施する仕組みになっていました（**図6**）。

＊3　昔の8ビットパソコンの一部機種では、実際にこの方式が使われていました。

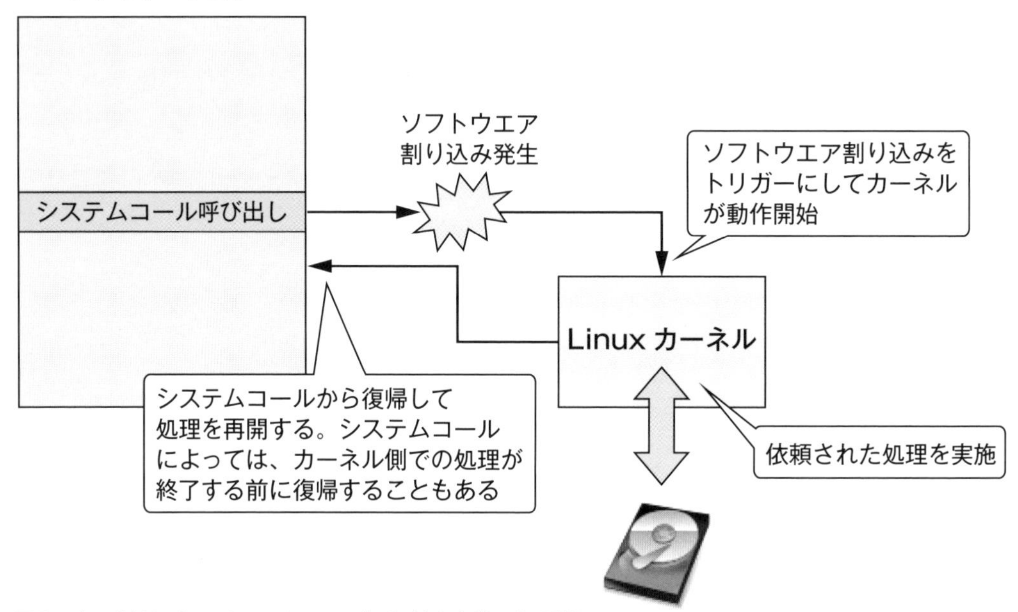

図6　古い方法によってシステムコールを呼び出した際の処理概要
システムコールを呼び出すと、カーネルに処理を依頼するソフトウエア割り込みが発生します。この割り込みによってカーネルが動作を開始し、依頼された処理を実施します。

ソフトウエア割り込みを使ったシステムコールの呼び出しは、現在も可能です。しかし、ソフトウエア割り込みを使う方法には処理速度が遅いという問題があります。そのため現在では、割り込みを発生させずに直接カーネル空間のプログラムに動作を切り替えられる命令を使ってシステムコールを呼び出す方法が主に使われています。64ビットのx86プロセッサで主に使われるのはsyscall命令、32ビットのx86プロセッサではsysenter命令です。

1-4 タスク管理の仕組み

Linuxでプログラムを実行すると「プロセス」または「スレッド」が作成されます。プロセスとは、主メモリーに読み込まれ、独立したメモリー空間＊4を割り当てられて稼働中のプログラムのことです（**図7**）。スレッドとは、ほかのプロセスやスレッドとメモリー空間を共有する特殊なプロセスのことです。

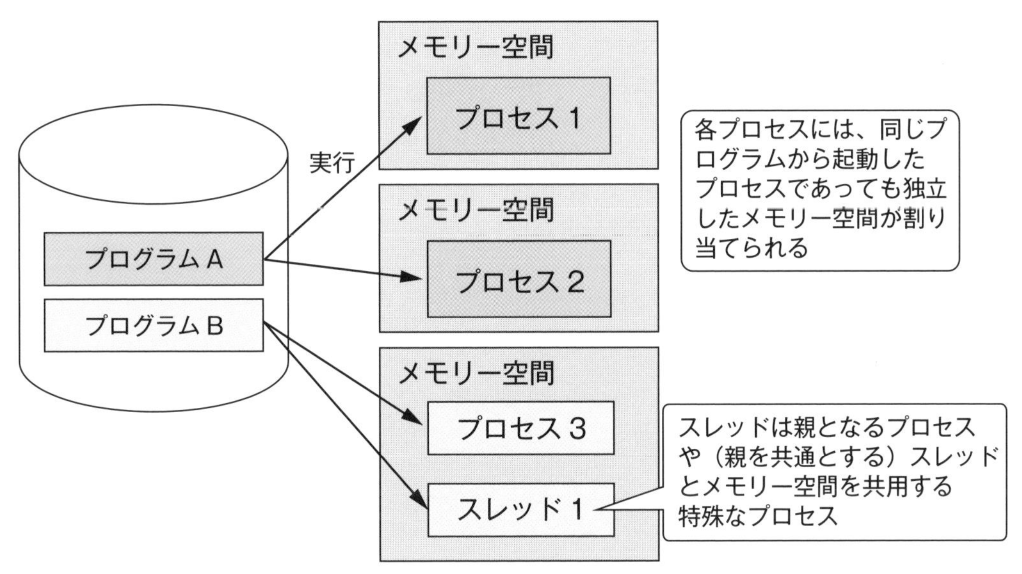

図7　プロセスとスレッド
プロセスとは、主メモリー上で独立したメモリー空間を割り当てられて動いているプログラムのことです。スレッドとは、親となるプロセスや（親を共通とする）スレッドとメモリー空間を共有する特殊なプロセスのことです。

プロセスやスレッドには個別の「プロセスID」という管理番号が割り当てられます。現在システムで稼働中のプロセスやスレッドの一覧、そしてそれらのプロセスIDは、次のようにpsコマンドを実行すれば分かります。

```
$ ps aux ↵
```

なお、スレッドの中にはカーネルの動作を補助する目的で実行される「カーネル

＊4　このメモリー空間については、1-5節で解説します。

スレッド」と呼ばれる特殊なものがあります。カーネルスレッドは、主メモリーに**キャッシュ**＊（一時記憶）したデータをディスクに書き出す処理のように、カーネル内部で定期的に実施される処理などに利用されます。psコマンドの出力ではスレッド名が大括弧に囲まれた形（[kblockd]のような形）で表示されます。

時分割処理で並行処理を実現

Linuxカーネルは、CPUやCPUコアの数が一つであっても、複数のプロセスやスレッドを同時に稼働できます。これは、CPUで実行するプロセスやスレッド（以下、この両者をまとめてタスクと呼びます）をカーネルが短い間隔で切り替える（時分割処理する）ことで実現しています。CPUやCPUコアの数が一つの場合、ある瞬間に稼働するタスクは一つなのですが、切り替え時間が短いために、あたかも複数のタスクが同時に稼働しているように感じられるわけです（**図8**）。

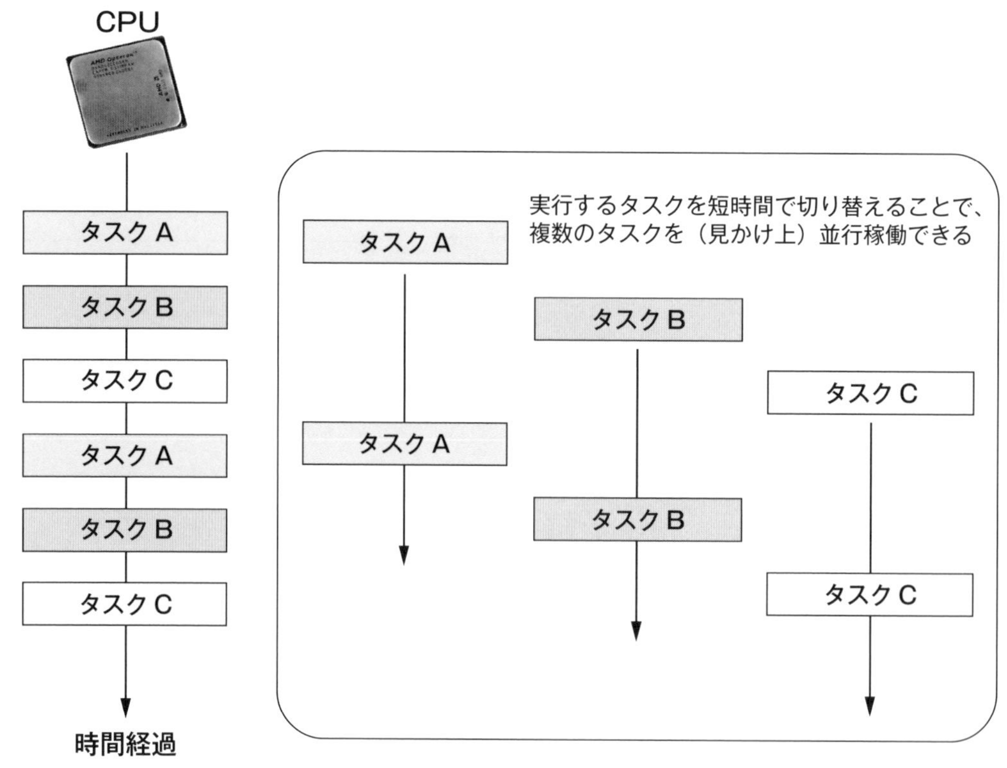

図8　並行処理を可能にする仕組み
CPUで実行するタスクをカーネルが短い間隔で切り替える（時分割処理する）ことで、（見かけ上の）並行処理を実現しています。

複数のCPUやCPUコアを装備するPCでは同時に稼働できるタスクの数が増えます。この場合も時分割処理をすることで、CPU数やCPUコア数以上のタスクを（見かけ上）同時に稼働できます。

タスクスケジューラが管理

実行待ち状態のタスク群から、どのタスクをどのぐらいの期間、どのCPU（コア）で実行するかを管理するのが、カーネル内の「タスクスケジューラ」の役割です（**図9**）。タスクスケジューラに求められるのは、各タスクを「公平に」かつ「効率良く」実行することです。

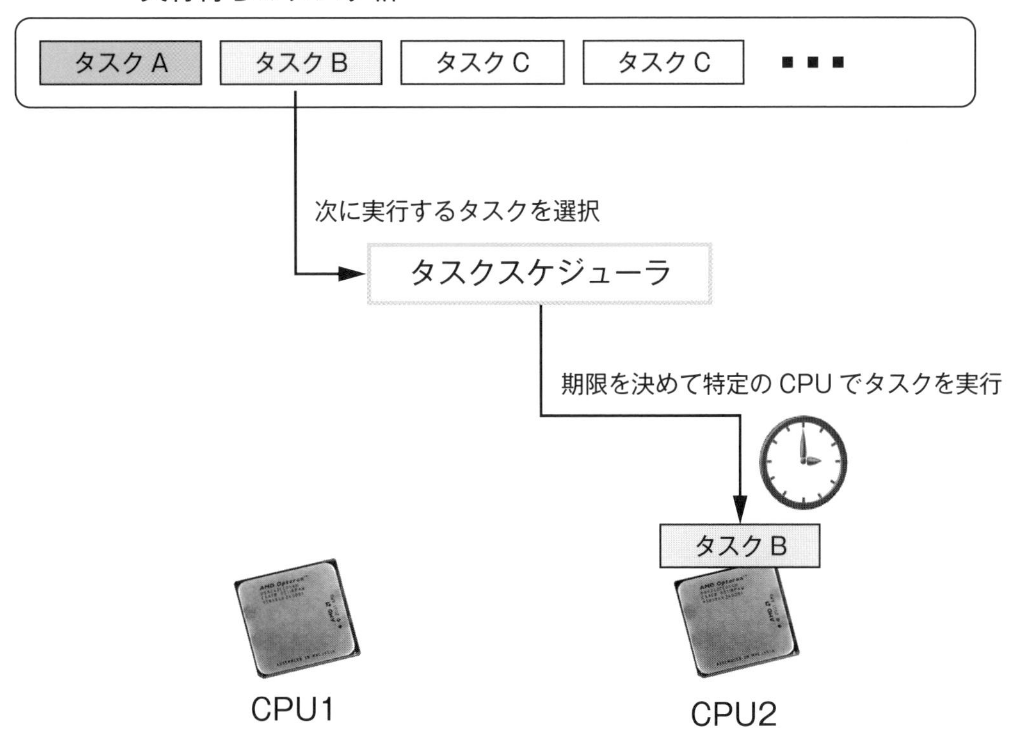

図9　タスクスケジューラ
実行待ち状態のタスク群から、どのタスクをどのぐらいの期間、どのCPU（コア）で実行するかを管理するのが、カーネル内の「タスクスケジューラ」の役割です。

【キャッシュ】高速にアクセスできるメモリー領域にデータを一時保存すること。主に処理高速化のために使われます。また、キャッシュ処理に使うメモリー領域（キャッシュメモリー）を指すこともあります。

単純に考えると、すべてのタスクを一定時間ずつ順に実行すれば公平性を実現できるように思えます。しかしプロセスの中には、常時CPUを使って演算するものもあれば、ユーザーの入力待ちやデバイスの入出力処理待ちがありCPUをあまり使わないものもあります。この両者を同じ期間ずつ切り替えて実行すると、前者はフルにCPUを使えますが、後者はすぐに待機状態に移行してしまって、実際には極めて短い期間しかCPUを使えなくなります。結果として、後者のようなタスクの応答性が悪化するなどの問題が生じます。

そこで現在のLinuxカーネルでは、各タスクが実際にCPUを使用した時間を計測し、その時間が短いタスクを優先的に実行する「CFS」(Completely Fair Scheduler) というタスクスケジューラを採用しています。CFSによって各タスクのCPU使用時間が平準化されることになり、公平性を実現できます。

CFSについては第4章で詳しく解説します。

1-5 メモリー管理の仕組み

前述の通り、Linuxカーネルは複数のプロセスを稼働できます。また、複数のユーザーがシステムを共同利用する「マルチユーザー利用」にも対応しています。このようなOSでは、各プロセスが利用するメモリー領域が重ならないようにする仕組みや、各ユーザーのプロセスのデータを盗み見たり、破壊したりできないようにする仕組みが必要です。

そのため、LinuxなどのUNIX系OSでは、各プロセスを独立した**アドレス***を割り振ったメモリー空間内で動作させます。ここで割り振るアドレスは、コンピュータに実装されている物理的な主メモリーのアドレスとは直接は関係ありません。そこで、各プロセスのメモリー空間に割り当てるアドレスのことを「仮想アドレス」と呼び、メモリー空間の方は「仮想アドレス空間」や「仮想メモリー空間」と呼びます（**図10**）。

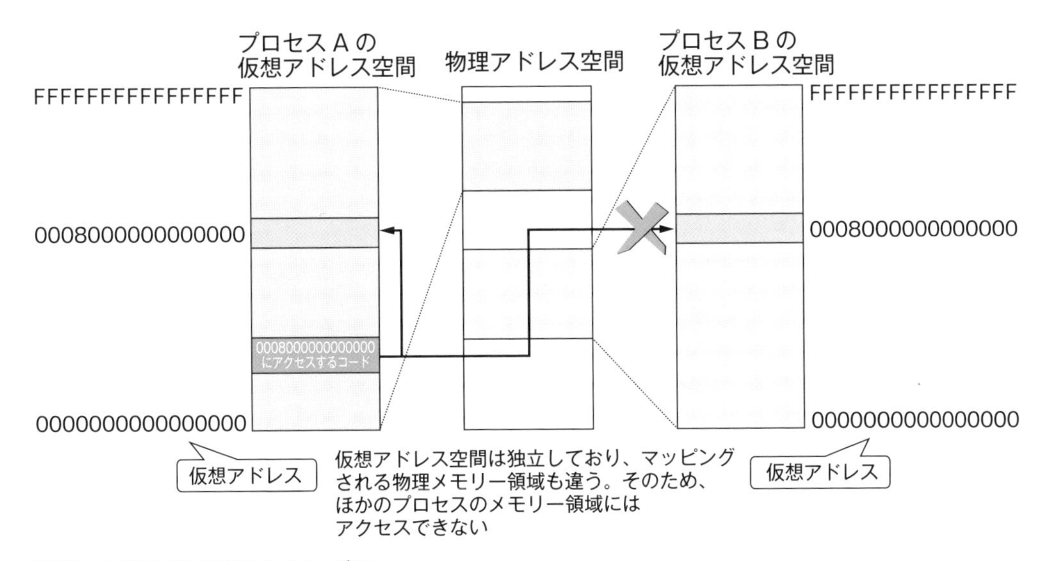

図10　仮想アドレス空間のイメージ図
UNIX系OSでは、各プロセスを独立したアドレス体系を持つ「仮想アドレス空間」で稼働させます。こうすることで、あるプロセス内部でどのようなアドレスにアクセスしても、ほかのプロセスの情報を参照したり、変更したりできなくなります。

【アドレス】メモリーの位置を示すために割り振る番号のこと。メモリーアドレスとも呼びます。データの入出力やプログラムのジャンプ先などには、このアドレスを指定します。

各プロセスに、独立した仮想アドレス空間を割り当てることで、あるプロセス内部でどのようなアドレスにアクセスしても、ほかのプロセスの情報を参照したり、変更したりできなくなります。

ただし、仮想アドレス空間は仮想的に作り出したメモリー領域で実体を持ちません。実際に利用する場合は、物理メモリー領域（これを「物理アドレス空間」あるいは「物理メモリー空間」と呼びます）にマッピングする必要があります。

ページング方式を採用

仮想アドレス空間と物理アドレス空間のマッピング方法にはいくつかの方法がありますが、Linuxでは「ページング」と呼ばれる方式を採用しています。ページングは、メモリー領域を小さな固定長の「ページ」の集合と捉え、このページ単位でメモリーを管理する方式です（**図11**）。

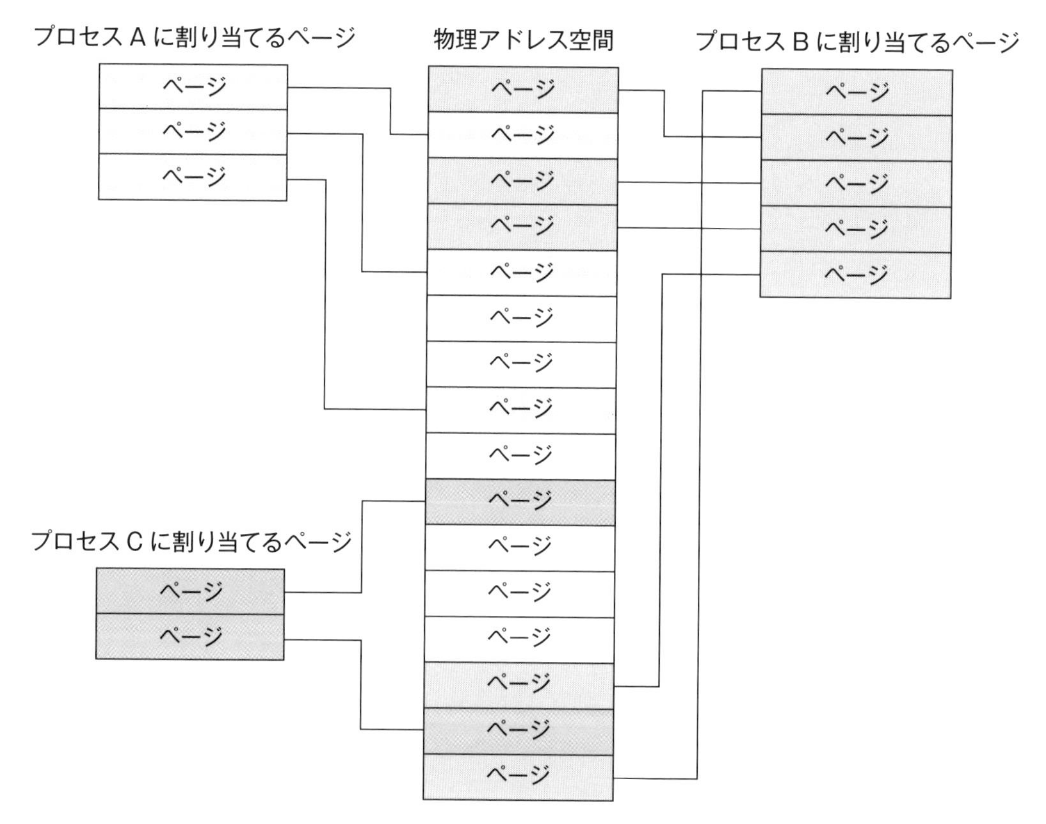

図11　ページング方式を採用
Linuxでは「ページング」と呼ばれる方式で、仮想アドレス空間と物理アドレス空間をマッピングします。ページングは、メモリー領域を小さな固定長の「ページ」の集合と捉え、ページ単位にメモリーを管理する方式です。

最近のCPUのMMU（メモリー管理ユニット）はページング対応機能を備えています。こうしたCPUでは、仮想アドレスと物理アドレスを対応付けるためのアドレス変換用テーブル（これをページテーブルと呼びます）を設定することで、自動的なアドレス変換を実現できます。ページテーブルは主メモリー上に配置し、CPU内の特殊な制御レジスタ＊5に（現在利用中の仮想アドレスに対応する）ページテーブルの位置を示す情報（物理アドレスなど）をセットしておく仕組みが一般的です（**図12**）。アドレス変換のたびにページテーブルを参照すると速度が低下するため、多くのCPUが、変換処理を高速化するための「TLB」（Translation Lookaside Buffer）というキャッシュを備えています。

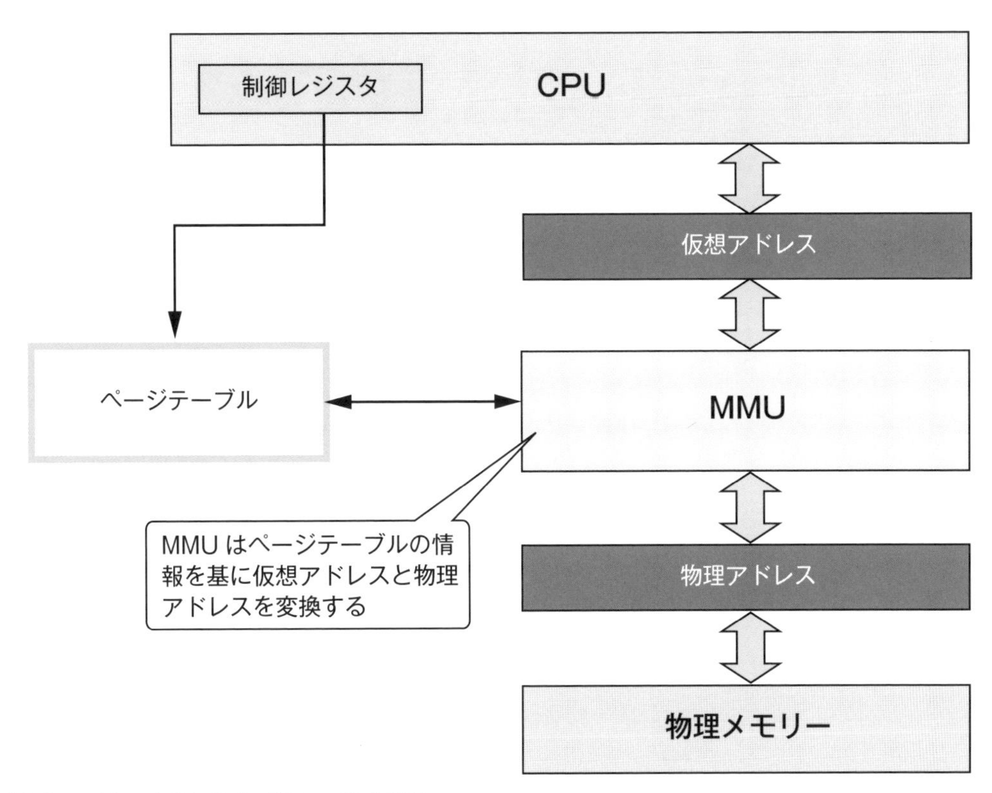

図12　アドレス変換にはページテーブルを使用
ページング対応CPUのMMU（メモリー管理ユニット）は、アドレス変換用テーブル（ページテーブル）を参照して仮想アドレスと物理アドレスを変換します。ページテーブルは主メモリー上に配置し、CPU内の制御レジスタにページテーブルの位置を示す情報をセットしておく仕組みが一般的です。

＊5　x86プロセッサの場合は「cr3」という制御用レジスタを使います。

Linuxカーネルのメモリー管理機構は、ページング対応MMUを備えるCPUの利用を前提に実装されています＊6。i386（80386）以降のx86プロセッサはすべてページングをサポートしています。x86プロセッサの標準のページサイズは4Kバイトで、Linuxにおいてもこのページサイズを標準にしています。

カーネルはプロセスの生成時に、そのプロセスの仮想アドレス空間用のページテーブルを作成します。そしてプロセスの管理情報（タスク構造体）に、そのページテーブルの位置を示す情報を格納しておきます。CPUで実行するプロセスを切り替える際は、カーネルがプロセス管理情報を基に、CPUのページテーブル参照用レジスタの内容を書き換えます。これにより、各プロセスを独立した仮想アドレス空間内で動かすことができます。

なお、単一のページテーブルではサイズが大きくなり過ぎるため、多くのCPUではテーブルを複数段に分割して、階層的な変換を行うようにしています。ページテーブルを多段化した上で、実際に利用された物理ページに関するテーブルだけを保持するようにすることで、ページテーブルのメモリー使用量を削減できます。Linuxでは5段までのページテーブルの存在を想定した実装になっています。

物理ページは使用する際に割り当てる

プロセス生成時に専用の仮想アドレス空間が作られるのは前述の通りです。この仮想アドレス空間のサイズは64ビットのx86プロセッサでは16E（エクサ）バイトです＊7。

しかしもちろん、この仮想アドレス空間にある仮想ページすべてに物理ページが割り当てられるわけではありません。そんなことをすれば、1プロセスで実メモリーを使い切ってしまいます。

無駄を避けるために、物理ページは、仮想ページに対して実際に入出力処理をしようとした際に初めて割り当てられます（図13）。このような割り当て方式を「デマンドページング」と呼びます。デマンドページング方式であれば、実際に使った分だけのメモリーしか消費されませんから効率的です。

①プロセス生成直後

プロセスAのメモリー空間の仮想ページには
物理ページが割り当てられていない

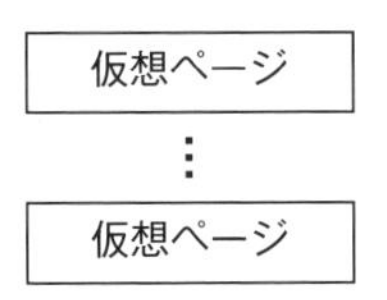

②仮想ページへのアクセスで例外発生

いずれかの仮想ページにアクセスすると、
物理ページが割り当てられていないために
例外が発生する

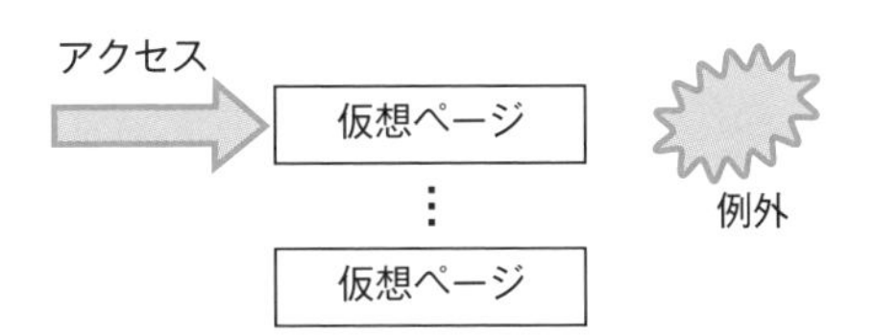

③カーネルが物理ページを割り当て

例外が発生した仮想ページに物理ページを
割り当てる

仮想ページ
物理ページ
仮想ページ

④②のアクセス処理を継続

②のメモリーアクセス処理を継続

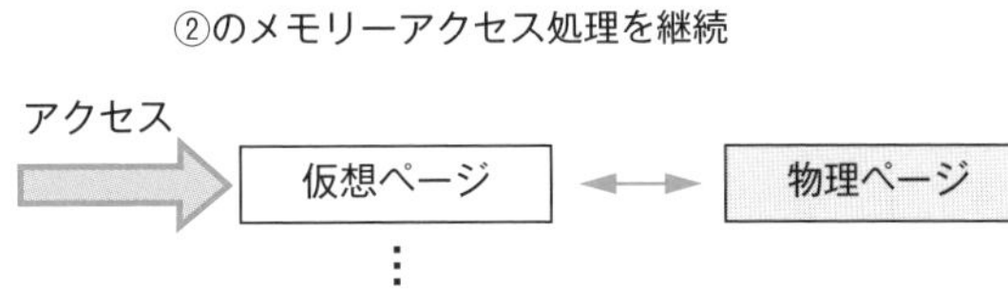

図13　デマンドページングの仕組み
使用していない仮想ページに物理ページを割り当てる無駄を避けるため、このようなデマンドページング方式で物理ページを割り当てます。

図13にある通り、デマンドページングは「例外」を利用して実装されています。プロセスが物理ページ未割り当ての仮想ページにアクセスすると「ページフォルト」というアクセス失敗を示すメモリー管理例外が発生します。この例外をトリガーにして物理ページの割り当て処理を実施し、元の仮想ページのアクセス処理を再開させることでデマンドページングが実現できます。

メモリースワッピング

空き物理メモリーが少なくなってくると、Linuxカーネルは、使用中のページを調査して新規利用可能なページを確保する処理を実施します。これを「ページ回収処理」と呼びます。

ページ回収処理では、最近アクセスされていないページを主に回収対象にします。コンピュータのメモリーには「時間的局所性」という性質があり、直近にアクセスされたページは近い未来に再度アクセスされる可能性が高く、その逆に、最近アク

＊6　Linuxカーネルはページング非対応の一部のCPUでも稼働しますが、これは特殊なケースのため無視します。
＊7　約1600万Tバイトです。ただし、現在のLinuxでは、これらのすべての空間を使用するわけではありません。

セスされていないページは近い未来に再度アクセスされる可能性が低いからです。ページが最近アクセスされたかどうかを調べやすくするため、Linuxカーネルは「LRUリスト」(Least Recently Usedリスト) を使って使用中の物理ページを管理しています。

ページ回収処理では、主に二つの処理を実施します。一つは、**ページキャッシュ***に利用している物理ページの内容を破棄して空き物理ページにする処理です。ページキャッシュは処理高速化のためにファイルのデータをコピーしたものです。必要になったら再度ファイルからデータを読み出せばよいわけですから、内容が変更されていなければ破棄して構いません。内容が変更されているページキャッシュ（これをダーティーなページキャッシュなどと呼びます）については、一度データをファイルに書き戻す必要があります。カーネルはダーティーなページキャッシュを書き戻す処理を定期的に実施しています。

もう一つは、プロセスが作業領域などのために確保した**無名ページ***のデータをハードディスクやファイル上に確保される「スワップ領域」に書き出して空き物理ページを増やす処理です（**図14**）。この処理を「ページアウト」(あるいはスワップアウト）と呼びます。

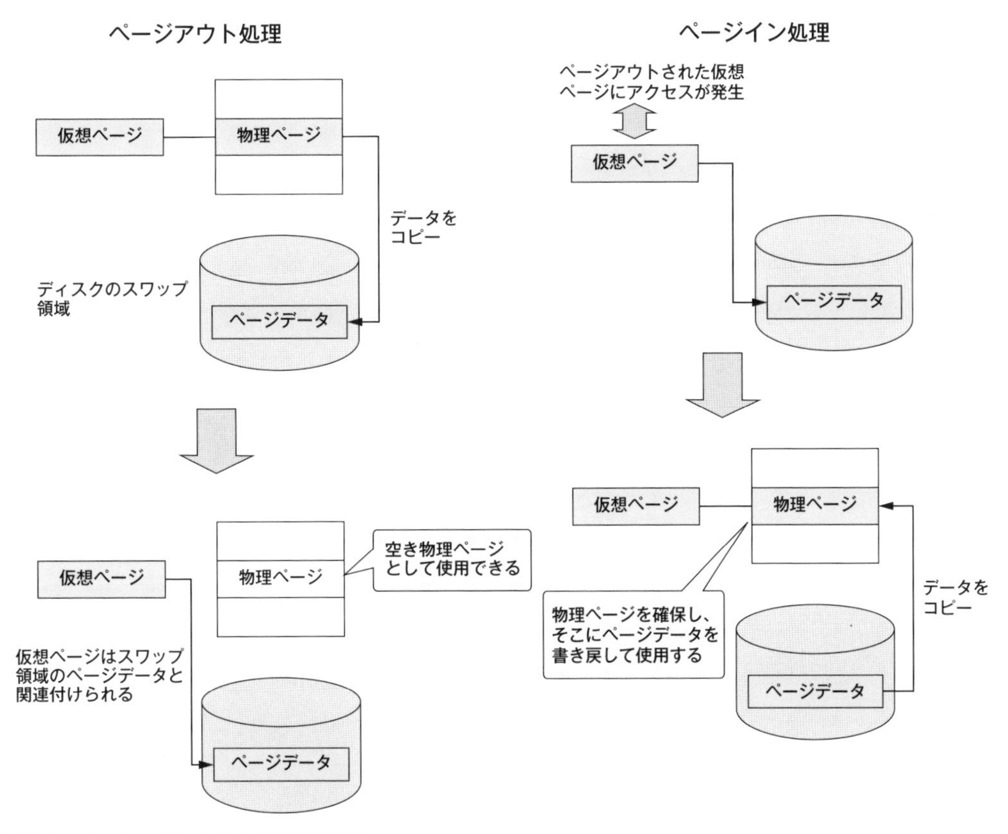

図14　メモリースワッピング処理の概要
メモリースワッピングにより、システム全体で物理メモリーの容量以上のメモリーを使用できるようになります。

物理ページがページアウトされている仮想ページにアクセスがあった場合は、新たな物理ページが割り当てられ、そこにページアウトされたデータが書き戻されて使用されます。この処理を「ページイン」（あるいはスワップイン）と呼び、ページアウト／ページイン処理を総称して「メモリースワッピング」と呼びます。

メモリースワッピングにより、システム全体で物理メモリーの容量以上のメモリーを使用できるようになります。しかしページアウト／ページイン処理には、通常のメモリーアクセスに比べて格段に時間がかかりますから、こうした処理が多発するようになるとシステムの処理性能は大幅に低下します。

【ページキャッシュ】ファイルの読み書きを高速化する目的などで主メモリーにデータをキャッシュする仕組み。
【無名ページ】ファイルと関連付けられていないページのこと。

最後はOOM Killerの出番

メモリー使用量が増え過ぎ、ページ回収処理によっても必要な空き物理ページが確保できない状態になると、カーネルそのものの動作に支障が出る恐れがあります。こうした場合、最悪の事態を避けるためにLinuxカーネルは「OOM Killer」(Out of Memory Killer)と呼ばれる処理を開始します。OOM Killerは、稼働中のプロセスのうちいくつかを強制的に停止させて、空き物理ページを確保します。

OOM Killerにより停止されやすいのは、使用中の物理ページやページアウトしているページが多いプロセスです。ただし、管理者権限[*8]を持つプロセスは、停止されにくくなっています。

＊8　OOM Killerは、「CAP_SYS_ADMIN」というシステム管理用の権限の有無をチェックします。

1-6 デバイス管理の仕組み

Linuxはほかの UNIX系OSと同様に、ほぼすべてのデバイスを「ファイル」として抽象化します。アプリケーションからデバイスにデータを入出力する場合は、この抽象化されたファイルに対してデータを入出力します（**図15**）。デバイス操作用のファイルは「デバイスファイル」と呼ばれ、一般に/dev**ディレクトリー***以下に配置します。例えば、ハードディスクに対しては「/dev/sda」といったデバイスファイルが用意され、それを通じてアクセスできます。

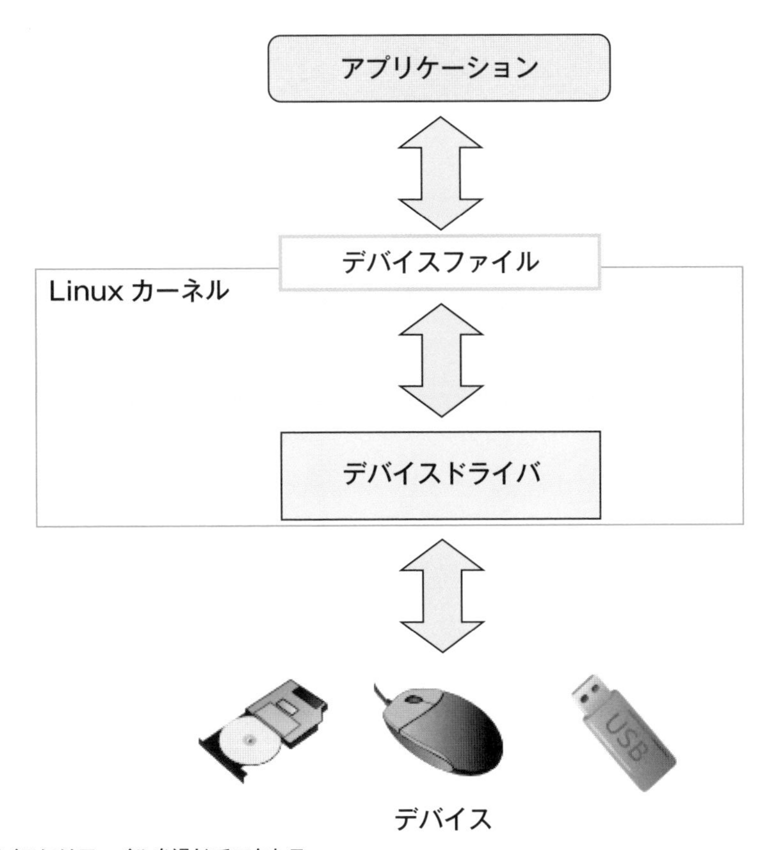

図15　デバイスにはファイルを通じてアクセス
Linuxはほかの UNIX系OSと同様に、ほぼすべてのデバイスを「ファイル」として抽象化します。アプリケーションからデバイスにデータを入出力する場合は、この抽象化されたファイルに対してデータを入出力します。デバイス操作用のファイルは「デバイスファイル」と呼ばれ、一般に/devディレクトリー以下に配置します。

【ディレクトリー】ファイルやディレクトリーを格納する仮想的な入れ物。「フォルダー」と呼ぶこともあります。

Linuxではデバイスを主に「キャラクター型」と「ブロック型」の二つに分類します。前者は、シリアル回線や端末のようにデータを1バイトずつ入出力するタイプのデバイスです。データは基本的にバッファー（一時保存）されません。後者は、ハードディスクのように固定長のデータ（ブロック）単位に入出力するタイプのデバイスです。データは基本的にバッファーされます。

デバイスファイルには、キャラクター型であるかブロック型であるかを示す情報が設定されます。さらに対応するデバイスに応じた「メジャー番号」「マイナー番号」が設定されます。一般にメジャー番号はデバイス制御用の「デバイスドライバ」の指定に用いられ、マイナー番号はデバイスドライバの制御下にある個々の機器を指定するのに用いられます＊9。

Linuxカーネルはこれらの情報に基づいて、デバイスドライバとデバイスファイルをひも付けします。

＊9　デバイスファイルに設定する情報については、カーネル付属の文書（Document/admin-guide/devices.txt）に詳しく記載されています。

1-7 ファイルシステムの概要

ファイルシステムは、「ファイル」というインタフェースをユーザーやアプリケーションに提供する仕組みです。ファイルシステムがあることで、記憶装置にデータがどのように記録されているかを意識することなく、また、記憶装置の種類の違いを意識することなく、データをファイルという仮想的な容器に格納したり取り出したりできます（図16）。

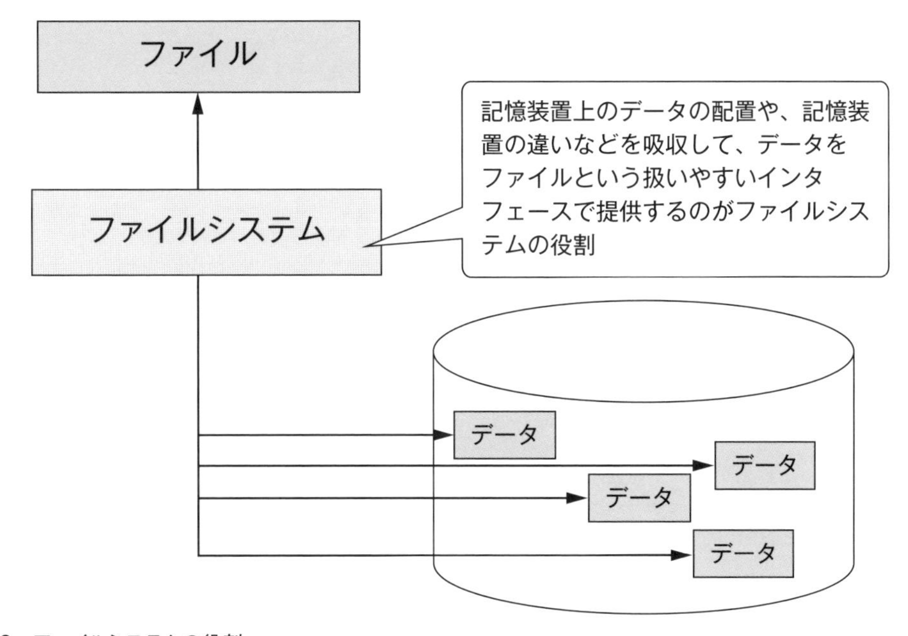

図16　ファイルシステムの役割
ファイルシステムがあることで、記憶装置にデータがどのように記録されているかや、記憶装置の種類の違いを意識することなく、データを格納したり取り出したりできます。

これに加えてファイルシステムは、「ファイルの管理性の向上」「記録データのセキュリティの確保」のための機能も提供します。ファイルを分かりやすく管理する機能としては、ファイルの入れ物である「ディレクトリー」を階層的に作成する機能などが挙げられます。セキュリティ確保用の機能には、ファイルの所有者や各ユーザーに対する読み書きの許可/不許可といった属性情報をファイルごとに設定する機能などが挙げられます。記録データの信頼性を確保するために、データ検証用の情報（チェックサム）を記録できるファイルシステムもあります。

抽象化層VFSが存在

ファイルシステムには、提供する機能や、ターゲットとする記憶装置が異なるさまざまな種類のものが存在します。Linuxカーネルは**表1**のような数多くのファイルシステムをサポートします。利用するファイルシステムの種類は、マウント時にmountコマンドのオプションで指定します。

表1　Linuxカーネルがサポートするファイルシステムの例

ファイルシステム名	マウント時に指定する文字列	概要・補足
Btrfs	btrfs	RAID機能を包含するなど先進的な機能を持つ
CIFS	cifs	Windowsファイル共有で利用されるネットワークファイルシステム
ext2	ext2	初期にLinuxで標準的に利用された
ext3	ext3	ext2にジャーナリング機能などを付加したもの
ext4	ext4	ext3に大容量ストレージ向け機能などを付加したもの
exFAT	exfat	SDXCカードで標準的に利用される
F2FS	f2fs	SSDを高速利用するためのファイルシステム
FAT	fatまたはmsdos、vfat	SDカードやフラッシュメモリーなどで標準的に利用される
HFS+	hfsplus	Mac OS 8以降で標準利用される
ISO9660	iso9660	CD-ROMで使われる
JFFS2	jffs2	組み込み機器向けのフラッシュメモリー用ファイルシステム
NFS	nfsまたはnfs4	UNIX系OSなどで利用されるネットワークファイルシステム
NILFS2	nilfs2	高速なデータ書き込みや耐障害性の高さが特徴
NTFS	ntfs	Windowsで標準利用される
procfs	procfs	プロセスやカーネルに関する情報を提供する仮想的なファイルシステム
sysfs	sysfs	デバイスやドライバに関する情報を提供する仮想的なファイルシステム
tmpfs	tmpfs	主メモリー上に確保されるメモリーベースファイルシステム
UBIFS	ubifs	組み込み機器向けのフラッシュメモリー用ファイルシステム
UDF	udf	記録型CD/DVDで利用される
XFS	xfs	大容量ストレージでの利用に向く

ファイルシステムが違ってもファイルの読み書きの方法は共通です。ファイルシステムの違いを吸収して、統一したインタフェースを提供するための抽象化層「VFS」(Virtual File System) が用意されているからです (図17)。

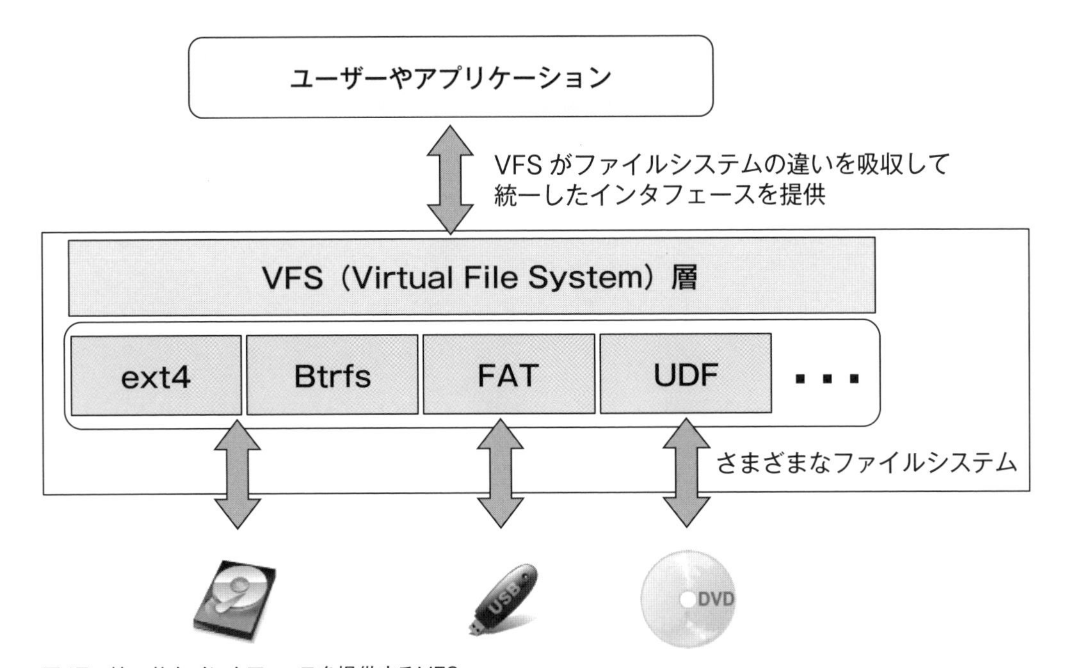

図17　統一的なインタフェースを提供するVFS
ファイルシステムの違いを吸収して、統一したインタフェースを提供するための抽象化層「VFS」(Virtual File System) が用意されているため、共通の方法でファイルを読み書きできます。

1-8 ネットワーク機能の概要

Linuxなどの UNIX系OSではデバイスの入出力インタフェースをファイルの形で提供します。しかしネットワークについては、**通信プロトコル***の指定や通信相手の指定など、接続に至るまでの手順が複雑かつ特殊で、ファイル操作用の既存の仕組みをそのまま利用できません。そこで開発されたのが、「ソケット」(socket)というインタフェースです。ソケットを利用することで、さまざまなプロトコルに対応した柔軟な通信が可能になります。Linuxカーネルにもソケットインタフェースを提供するための抽象化層(BSDソケット層)が存在します。

Linuxカーネルは、現在一般的に用いられるIP(Internet Protocol)というプロトコルと、その上位プロトコル(TCPやUDP)のほか、**IPX***や内部通信用の特殊プロトコルなど多種多様なプロトコルをサポートします。ソケットを利用する際は、どのようなプロトコルグループ(ドメイン)を使用するかを指定します。指定できるドメインには**表2**のようなものがあります。

表2 ソケット利用時に指定できるドメイン

ドメイン名	対応するプロトコル/通信
UNIX (LOCAL)	システムの内部通信
INET	IPv4
INET6	IPv6
IPX	IPX
NETLINK	カーネル空間とユーザー空間の通信
X25	X.25
AX25	アマチュア無線を利用したパケット通信
ATMPVC	ATM (PVC方式)
APPLETALK	AppleTalk
PACKET	低レベルのパケット通信

Linuxカーネルには「Netfilter」という通信データ（パケット）処理用の機構が存在します。これを利用すると、特定のパケットの送受信を制限したり、加工するといった処理が可能になります。Linuxカーネルのファイアウォール機能やNAPT*機能などは、このNetfilter機構を利用して実現されています。

Linuxカーネルのネットワーク機能は非常に豊富かつ複雑です。そのため、本書ではここで触れたこと以上の解説はしません。

【通信プロトコル】通信規約や手順のこと。
【IPX】米Novell社のOS「NetWare」などで使われていた、主にLAN向けの通信プロトコル。
【NAPT】ポート番号情報を併用することで1対多のアドレス変換に対応したNAT（Network Address Translation）技術の一種。

1-9 カーネルの読み込みから稼働まで

通常のPC（PC/AT互換機）で電源投入直後に稼働するのは「BIOS」（Basic Input/Output System）や、「UEFI」（Unified Extensible Firmware Interface）というファームウエアです。これらのファームウエアは、PCのハードウエアの初期設定や自己診断テストなどを実施したあと、ディスクの特定領域に記録されているOS起動用プログラム「ブートローダー」を起動します。Linux起動用のブートローダーとしては「GNU GRUB」というプログラムがよく使われています。

このブートローダーがカーネルのイメージファイルをメモリーに読み込んで実行します。カーネルのイメージファイルは、多くのLinuxディストリビューションで、/bootディレクトリー（あるいは/ディレクトリー）にある「vmlinuz」や「vmlinux」から始まる名前のファイルに格納されています。

また、このときブートローダーに、システム初期化用のディスクイメージを読み込ませることも可能です。このディスクイメージについては後述します。

カーネルのイメージファイルは「bzImage」という自己伸長圧縮形式になっています（**図18**）。イメージの先頭には、初期化とイメージ伸長のためのコードが付加されています。圧縮形式はカーネルの**ビルド***時に指定でき、「GZIP」や「BZIP2」「LZMA」「XZ」「LZO」「LZ4」のいずれかを選択できます*10。標準圧縮形式はGZIPです。伸長したカーネルに制御を渡せば、本格的なシステム初期化と起動処理が始まります。

初期化用コード	伸長用コード	圧縮カーネルイメージ

図18　カーネルイメージファイルの構成
現在一般に使われる「bzImage」というイメージ形式の構成です。ファイル先頭に初期化用と伸長用のコードがあり、それに続いて圧縮カーネルイメージが記録されています。

rootファイルシステム*をマウントして、/sbin/initというプログラムを起動すればカーネルによるシステム起動処理は終了です。OSの初期化処理は、以降は/sbin/initプロセスが引き継ぎます。このプロセスはユーザー空間で稼働するすべてのプロセスの親として働きます。

初期化用ディスクイメージ

多くのディストリビューションでは、起動時にシステム初期化用のディスクイメージを読み込みます。このディスクイメージには、rootファイルシステムのサブセットが含まれており、システム初期化の際、カーネルによって一時的なrootファイルシステムとして使われます（**図19**）。初期化用ディスクイメージは、真のrootファイルシステムの読み出しに必要なデバイスドライバがカーネルイメージに組み込まれておらず、モジュールファイル＊11として切り離されている場合に必要になります。

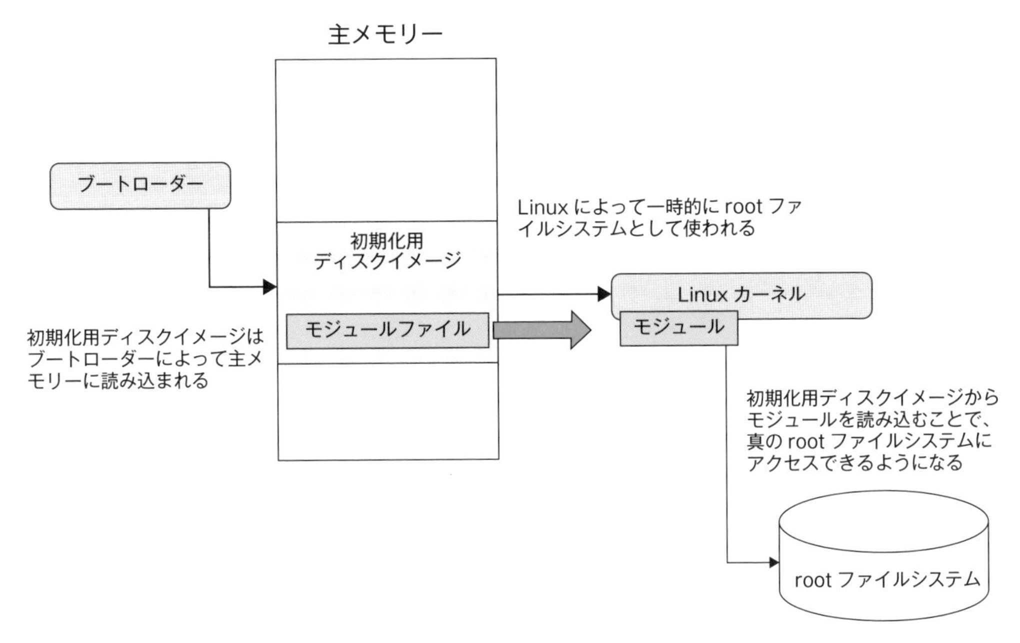

図19　初期化用ディスクイメージの使われ方
ブートローダーによって主メモリーに読み込まれる初期化用ディスクイメージには、rootファイルシステムのサブセットが含まれています。このディスクイメージは、システム初期化の際に一時的なrootファイルシステムとして使われます。真のrootファイルシステムの読み出しに必要なモジュールファイルなどが含まれています。

【ビルド】Linuxカーネルはソースコードの形で配布されています。これを実行可能なバイナリーコードの形に変換する作業を「ビルド」と呼びます。本書ではLinuxカーネルの設定を変えてビルドし直して動作を確認することにより、カーネルの仕組みを解き明かしていきます。ビルドの詳しい手順については第3章で解説します。

＊10　バージョン5.4系列のカーネルの場合です。

【rootファイルシステム】OSのシステムファイルが格納されていて、/ディレクトリーにマウントして使用されるファイルシステム領域のこと。

＊11　モジュールファイルについては第2章で詳しく解説します。

例えば、rootファイルシステムがシリアルATA接続のハードディスクにある場合、PCが装備するシリアルATAコントローラ用のデバイスドライバがカーネルイメージに組み込まれていなければ、rootファイルシステムをマウントできず、システムを起動できません。これに対し、必要なデバイスドライバのモジュールファイルを含む初期化用ディスクイメージを作成し、それを読み込んでおけば、カーネルが一時的にそれをrootファイルシステムとしてマウントします。これにより、モジュールファイルを読み出して、本来のrootファイルシステムをマウントできるようになります。

初期化用ディスクイメージ形式には「initrd」と「initramfs」の2種類があります。前者はext2やext3などの汎用ファイルシステムと固定長の**RAMディスク***を利用する形式で、後者はtmpfsという**メモリーファイルシステム***を利用する形式です。柔軟性の高さやメモリー利用効率の高さから、最近のディストリビューションではinitramfsの方を主に利用します。

【RAMディスク】主メモリー上に作成され、通常のディスクと同様に使用できるブロックデバイスのこと。
【メモリーファイルシステム】主メモリー上に作成される特殊なファイルシステムのこと。

第2章

Linuxカーネルのモジュール管理

本章では、「ローダブルカーネルモジュール」と呼ばれる機能の概要と、この機能で使われるモジュールの管理方法について解説します。モジュールは通常、必要に応じて自動的にカーネルに組み込まれますが、自動組み込み処理がうまく働かないケースもあります。また、使用状況に合わせてパラメーターを変更する必要があることもあります。モジュールの仕組みや管理方法を知っておけば、そうした場合にスムーズな対処が可能です。

2-1 モジュールとは何か

Linuxカーネルは「ローダブルカーネルモジュール」という仕組みに対応しています。これは、カーネル内の機能パーツを「モジュールファイル」という形で分離・格納しておき、必要に応じてそのモジュールファイルから読み出した機能パーツのコード（これを以下では「モジュール」と呼びます）を稼働中のカーネルに組み込んだり、切り離したりできるようにする仕組みです（**図1**）。

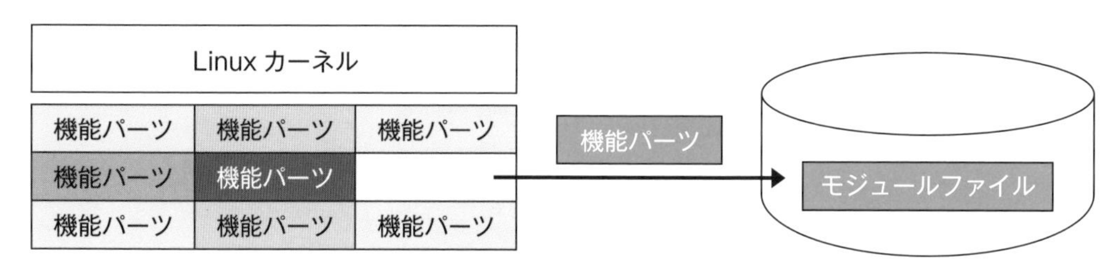

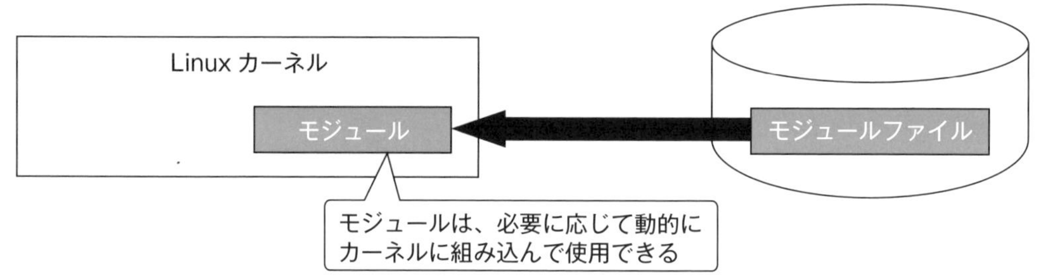

図1　ローダブルカーネルモジュール機能の概要
カーネル内の機能パーツを「モジュールファイル」の形で分離・格納しておき、必要に応じてそのモジュールを稼働中のカーネルに組み込んだり、切り離したりできるようにする仕組みです。

Linuxカーネルは、カーネル空間と呼ばれる特別なメモリー空間に配置されて稼働する巨大なプログラムです。カーネルの実行コードは一般的に、/bootディレクトリーなどに配置される「vmlinuz-カーネルのリリース番号」といったファイル名を持つ圧縮カーネルイメージファイルに格納されます。システム起動時には、この圧縮カーネルイメージファイルからカーネルのプログラムコード全体（これを「カーネルイメージ」と呼びます）がメモリー上に展開され、実行される仕組みになっています。

しかし、カーネルのすべての実行コードを圧縮カーネルイメージファイルに格納しておく方式には、主に二つの問題があります（**図2**）。

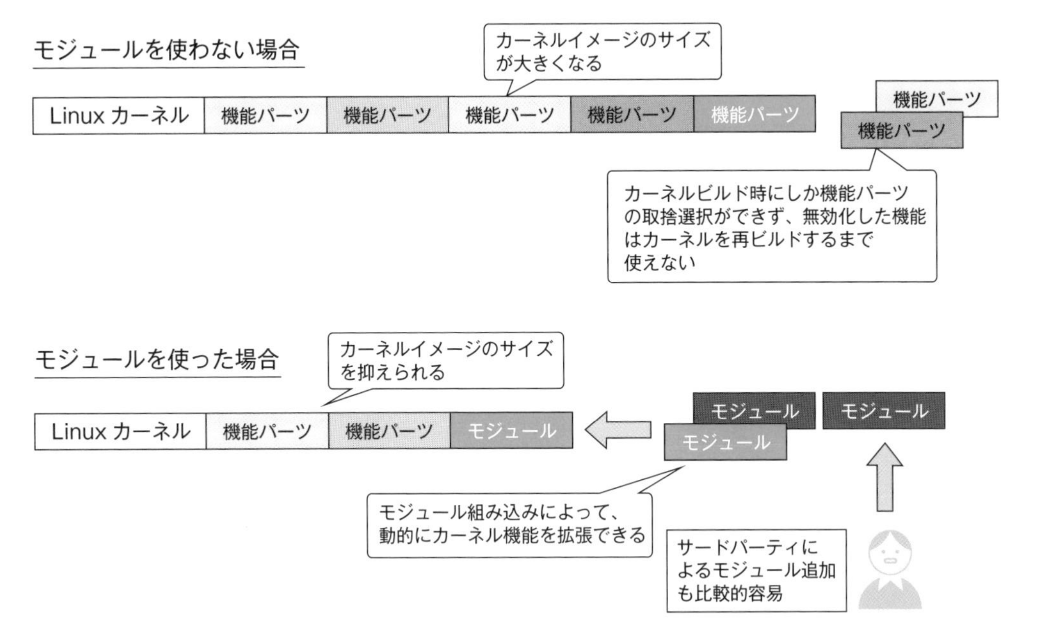

図2　モジュールの利用により効率性や拡張性が向上
機能パーツをモジュールファイルの形で分離しておけば、カーネルイメージの肥大化を避けられます。また、必要な機能をモジュールによって柔軟に追加できる利点もあります。機器メーカーなどが独自のデバイスドライバモジュールを提供することなども簡単になります。

一つは、サイズが肥大化しやすいということです。Linuxカーネルは年々高機能化し、対応デバイスも増加しています。それにつれて実行コードの量も増えており、それらを格納する圧縮カーネルイメージファイルのサイズも増加の一途をたどっています。本書がターゲットとするバージョン5.4系のカーネル（64ビットのx86 CPU向け）では、圧縮カーネルイメージファイルのサイズは約125Mバイト、主メモリーに配置される圧縮されていないカーネルイメージは約470Mバイトにも達しています。これは、搭載メモリー量の少ない組み込み機器などでは大きな負担となります。

もう一つは、使用する機能の取捨選択がカーネルビルド時にしかできないという柔軟性の欠如です。Linuxカーネルのプログラムコードは、機能パーツごとにブロック化されており、それぞれの機能パーツの使用／不使用をビルド時に設定できます。使用頻度の低い機能パーツを無効化しておけば、カーネルイメージのサイズを小さくできます。しかし無効化した機能パーツは、当然ながら、カーネルを再ビルドするまでは使えなくなります。ある機器を使用するためのデバイスドライバを無効化したカーネルを使っている場合には、その機器をPCに装着しても、すぐには使用できないわけです。

こうした問題を解消するためにLinuxカーネルには、1995年にリリースされたバージョン1.2から、このローダブルカーネルモジュール機構が追加されました。機能パーツをモジュールファイルの形で分離しておけば、カーネルイメージの肥大化を避けられますし、使わない機能パーツのプログラムコードによって余分なメモリーを消費することもなくなります。また、カーネルのソースコードにはない新しいモジュールを作成して組み込めば、再ビルドをしなくてもカーネルに新機能を追加できます。これにより、機器メーカーが独自のデバイスドライバモジュールを提供することなどが可能になります。

現在のLinuxカーネルでは、メモリー管理機構やプロセス管理機構のようなカーネルのコア部分の機能パーツを除いて、さまざまな機能パーツをモジュールファイルとして分離できます。特に周辺機器の動作などに必要なデバイスドライバについては、基本的にそのすべてをモジュール化できます。ほとんどのディストリビューションが、カーネルの機能パーツの大部分をモジュール化して提供しています。これにより、カーネルイメージのサイズを抑えつつ、機器の追加などに柔軟に対応できます。例えば、Ubuntu 20.04 LTSで使われるバージョン5.4系列のカーネルの圧縮カーネルイメージファイルのサイズは12Mバイト程度です。

モジュール管理の必要性

前述の通り、多くのLinuxディストリビューションでは、カーネルのファイルシステム機能やネットワーク機能、周辺機器を制御するデバイスドライバなど、さまざまな機能パーツをモジュールファイルの形で提供しています。

そのため、これらのモジュールをいかに使いこなすかが、Linuxシステムの管理において重要になります。

もっとも、通常はユーザーがモジュールの存在や管理を意識することはあまりありません。カーネル自身にモジュールを自動的に組み込む機能がありますし、最近のディストリビューションには「udev」（userspace device management）というデバイス管理機構があり、機器接続時などに対応する（デバイスドライバ）モジュールを自動的に組み込めるようになっているからです。

しかし、自動組み込みが働かないケースや、自動で組み込まれるモジュールとは異なるモジュールを使いたい場合もあります。また、モジュールの動作設定を変更しなければならないこともあります。こうした場合には、管理者による操作や設定が必要です。

例えば、米NVIDIA社や米Advanced Micro Devices（AMD）社などのGPUメーカーが配布するビデオドライバをインストールする際、手順を誤ると、カーネルに付属するOSSビデオドライバが自動組み込みされる設定のままになってしまいます。この場合、GPUメーカーのビデオドライバは利用できません。利用するには、OSSビデオドライバの自動組み込みを無効化する対策などが必要です。

モジュールの管理方法や設定方法について熟知していれば、こうした問題への対処を適切に実施できるようになります。

2-2 モジュールファイルの格納先

ここからは、モジュールファイルを自分で管理するための知識を学んでいきましょう。まず知っておきたいのは、モジュールファイルはどこに置いてあるのか、です。

モジュールファイルは前述の通り、カーネル内の機能パーツを実行ファイル形式で切り出したものです。これをモジュールとしてカーネル空間に組み込むと、元通りカーネルの一部として動作します。

そのためモジュールファイルは、カーネルとの結び付きが強い存在です。具体的には、カーネルのバージョンやターゲットアーキテクチャーに合わせたものでなければなりません。例えば、バージョン5.4.46のカーネル用モジュールファイルは、ほかのバージョンのカーネルには（基本的に）使用できませんし、同じバージョンであっても設定を変更したカーネルでは使用できないことがあります。

そのためモジュールファイルは、カーネルのバージョンやビルド時に追加したバージョン（エクストラバージョン）を示す「リリース番号」ごとに用意されたディレクトリーに整理して配置されます。具体的には、「/lib/modules/カーネルのリリース番号」ディレクトリー以下に格納されます（以下では同ディレクトリーのことを「モジュールディレクトリー」と呼びます）。

現在稼働中のカーネルのリリース番号は、次のコマンドを実行することで分かります。

```
$ uname -r ↵
```

シェルでのモジュールディレクトリー指定の際には、バッククオート（日本語キーボードの場合は［Shift］キーと［@］キーを同時に押すことで入力できます）によるコマンド置換を使った次のような指定も可能です。

```
$ cd /lib/modules/`uname -r` ↵
```

この場合、「`uname -r`」の部分がコマンドの実行結果に置き換えられます。

モジュールファイルのファイル名の接尾辞（拡張子）は「.ko」です。現在稼働中のカーネル用のモジュールファイルの一覧は、次のコマンドを実行すれば表示できます。

```
$ find /lib/modules/`uname -r` -name "*.ko" ↵
```

実行結果は**図3**のようなものになります。

```
$ find /lib/modules/`uname -r` -name "*.ko" ↵
/lib/modules/5.4.0-37-generic/kernel/drivers/pps/clients/pps_parport.ko
/lib/modules/5.4.0-37-generic/kernel/drivers/pps/clients/pps-gpio.ko
/lib/modules/5.4.0-37-generic/kernel/drivers/pps/clients/pps-ldisc.ko
(略)
/lib/modules/5.4.0-37-generic/kernel/sound/core/snd-pcm.ko
/lib/modules/5.4.0-37-generic/kernel/sound/core/snd-hwdep.ko
/lib/modules/5.4.0-37-generic/kernel/sound/core/snd-pcm-dmaengine.ko
```

図3　現在稼働中のカーネル用のモジュールファイルの一覧表示
現在稼働中のカーネルで利用できるモジュールファイルの一覧は、モジュールディレクトリー以下にある「.ko」という接尾辞（拡張子）を持つファイルを検索すると表示できます。

2-3 コマンドでモジュールを管理する

では、実際にモジュールの管理操作を試してみましょう。モジュールの管理には、**表1**のようなコマンドを使用します。これらのコマンドは「kmod」というパッケージをインストールすると利用できます＊1。ですが、UbuntuとCentOSを含め、ほとんどのディストリビューションではインストールは不要で、これらのコマンドは通常、標準で利用可能です。

表1　モジュール管理に使う主なコマンド

コマンド名	機能	実行に管理者権限が必要か	実行例
depmod	モジュールの依存関係の調査と依存関係データベースファイルの更新	必要	$ sudo depmod -a ↵
insmod	モジュールの組み込み	必要	$ sudo insmod /lib/modules/\`uname -r\`/kernel/drivers/char/lp.ko ↵
lsmod	組み込まれているモジュールの情報の一覧表示	不要	$ lsmod ↵
modinfo	モジュール情報の表示	不要	$ modinfo lp ↵
modprobe	依存関係を考慮したモジュールの組み込み	必要	$ sudo modprobe lp ↵
	依存関係を考慮したモジュールの取り外し	必要	$ sudo modprobe -r lp ↵
rmmod	モジュールの取り外し	必要	$ sudo rmmod lp ↵

これらの管理コマンドの多くは、引数に操作対象のモジュールを指定して実行します。モジュールを指定する場合には、insmodコマンドを除いて、モジュールファイル名ではなくモジュール名を使います。つまり「loop.ko」のようなモジュールファイル名ではなく、「loop」のようなモジュール名を使います。また、パス指定（ファイル位置の指定）もinsmodコマンド以外では不要です＊2。

モジュール名は一般には、ファイル名から末尾の「.ko」という接尾辞を除いた文字列となりますが、「snd-usb-audio.ko」のようにファイル名にハイフンを含むモジュールの場合は、さらにハイフンをアンダースコアに置き換えたもの（例えば、

snd_usb_audio）が正式なモジュール名となります。ただし、コマンドでのモジュール指定の場合は、ハイフンのままでも問題ないように考慮されています。

モジュール情報を表示する

特定のモジュールについての詳細情報を調べたい場合には、モジュールのあるディレクトリー上でmodinfoコマンドを次の形式で実行します。同コマンドは、一般ユーザー権限で実行できます。

```
$ modinfo モジュール名 ↵
```

台湾Realtek Semiconductor社製のギガビットイーサネットコントローラー「RTL8169」向けのデバイスドライバモジュール「r8169」の情報をmodinfoコマンドで調べた例を**図4**に挙げました。

```
$ modinfo r8169 ↵
filename:       /lib/modules/5.4.48/kernel/drivers/net/ethernet/realtek/r8169.ko
firmware:       rtl_nic/rtl8125a-3.fw
（略）
firmware:       rtl_nic/rtl8168d-1.fw
license:        GPL
softdep:        pre: realtek
description:    RealTek RTL-8169 Gigabit Ethernet driver
author:         Realtek and the Linux r8169 crew <netdev@vger.kernel.org>
srcversion:     4540EA91E81149C9F5B9237
alias:          pci:v000010ECd00003000sv*sd*bc*sc*i*
alias:          pci:v000010ECd00008125sv*sd*bc*sc*i*
（略）
alias:          pci:v000010ECd00002600sv*sd*bc*sc*i*
alias:          pci:v000010ECd00002502sv*sd*bc*sc*i*
```

＊1　古いディストリビューションでは「module-init-tools」というパッケージを使います。
＊2　モジュールディレクトリー外にあるモジュールファイルを対象にする場合は、他のコマンドでもパス指定が必要です。

```
depends:
retpoline:      Y
intree:         Y
name:           r8169
vermagic:       5.4.48 SMP mod_unload
sig_id:         PKCS#7
signer:         Build time autogenerated kernel key
sig_key:        28:76:AD:92:E9:CE:4F:50:32:F3:D4:3E:98:97:7B:B4:F1:F8:92
sig_hashalgo:   sha512
signature:      6C:98:97:DD:2E:77:A2:E4:11:C7:6B:A7:7A:9C:C5:71:9A:A5:7A:56:
                B4:09:48:F4:E0:A2:D2:FF:4B:5A:5E:83:BD:CA:2A:8D:5C:84:9D:E6:
（略）
                53:7E:48:5C:98:7D:E0:80:37:ED:46:81:D2:56:19:2E:52:AD:30:9C:
                A9:99:65:83:B3:E5:5C:CC:91:59:D3:ED
parm:           debug:Debug verbosity level (0=none, ..., 16=all) (int)
```

図4　モジュールの詳細情報の表示例

デバイスドライバモジュール「r8169」の詳細情報を表示した例です。

modinfoコマンドの出力にある各フィールドに表示される情報の意味は**表2**の通りです。

表2　modinfoコマンドの出力にある主なフィールド

フィールド名	表示される情報
alias	モジュールに付けられた別名
author	モジュールの作者
depends	依存関係にあるモジュールの名前
description	モジュールの説明
filename	モジュールファイル名
firmware	モジュールで使用するファームウエア
intree	カーネルのソースツリー内のモジュールかどうか
license	モジュールのライセンス
name	モジュール名
parm	モジュールに指定可能なオプション
retpoline	セキュリティ対策の一種である「Retpoline」が適用済みであるかどうか
sig_hashalgo	署名のハッシュアルゴリズム
sig_id	モジュールの署名形式
sig_key	署名検証用の鍵
signature	モジュールの改ざんの有無を検証するための署名
signer	署名者
softdep	依存関係にあるモジュールの名前と、その組み込み順序
srcversion	モジュールのビルドに使ったソースコード群のチェックサム
supported	ディストリビューターなどにより標準サポートされるモジュールかどうか
vermagic	カーネルとの整合性チェックに使うバージョン情報
version	モジュールのバージョン情報

ロード済みモジュールの表示

現在組み込み済みのモジュール一覧を表示するには、lsmodコマンドを実行します。同コマンドは、一般ユーザー権限で実行できます。

実行結果は**図5**のようになります。モジュールごとに「モジュール名」「サイズ（モジュールが使用するメモリー量）」「使用カウント数」「使用モジュール名」の4種類の情報が表示されます。使用カウント数は、当該モジュールがほかのいくつのモジュールから使用されているかを示し、使用モジュール名は、その参照元モジュールの一覧を示します。

```
$ lsmod ↵
Module                  Size  Used by
nls_iso8859_1          16384  1
snd_intel8x0           45056  4
snd_ac97_codec        131072  1 snd_intel8x0
intel_rapl_msr         20480  0
intel_rapl_common      24576  1 intel_rapl_msr
ac97_bus               16384  1 snd_ac97_codec
snd_pcm               106496  3 snd_intel8x0,snd_ac97_codec
snd_seq_midi           20480  0
intel_powerclamp       20480  0
snd_seq_midi_event     16384  1 snd_seq_midi
snd_rawmidi            36864  1 snd_seq_midi
snd_seq                69632  2 snd_seq_midi,snd_seq_midi_event
（略）
psmouse               155648  0
libahci                32768  1 ahci
e1000                 147456  0
pata_acpi              16384  0
video                  49152  0
```

図5　組み込み済みのモジュールを一覧表示した例

lsmodコマンドの出力に使用モジュール名があることから分かる通り、モジュールには依存関係があります。例えば、フラッシュメモリー用のファイルシステムモジュール「ubifs」は、フラッシュメモリー用のデバイスドライバモジュールの「ubi」を使用しています。そしてubiモジュールはさらに、フラッシュメモリー用のデバイスドライバモジュールの「mtd」を使用しています。

つまり、ubifsモジュールはubiモジュールやmtdモジュールと依存関係にあり、ubifsモジュールの機能を使う場合には、ubiモジュールやmtdモジュールも組み込んでおく必要があります。

モジュールの組み込み／取り外し

モジュール管理の基本を確認したところで、モジュールの組み込みと取り外しをしてみましょう。組み込みのための基本コマンドはinsmod、取り外しのための基本コマンドはrmmodです。ただし、これらのコマンドは、モジュール間の依存関係を考慮した処理はしてくれません。そのため、後述するmodprobeコマンドを利用する方が便利です。

モジュールの組み込みや取り外しは、システム機能やセキュリティに影響を及ぼす重要な作業ですから、これらのコマンドの実行には管理者権限が必要です。

insmodコマンドには、ほかのモジュール管理コマンドとは違って、モジュール名ではなくモジュールファイル名を指定します。パス指定も必要です。例えば、ラインプリンター用の「lp」モジュールを組み込む場合には、次のようにコマンドを実行します＊3。

```
$ sudo insmod /lib/modules/`uname -r`/kernel/drivers/char/lp.ko ↵
```

前述の通り、insmodコマンドは依存関係を考慮した処理は行いません。依存関係にあるモジュールを組み込んでいない状態でモジュールを組み込もうとしても「Unknown symbol in module」エラーとなってモジュールを組み込めないので注意してください。例えば、ubiモジュールを組み込んでいない状態でubifsモジュールを組み込もうとしてもエラーになってしまいます。insmodコマンドを使ってこうしたモジュールを組み込む場合は、依存関係にあるモジュールを先に組み込む必要があります。

rmmodコマンドには、取り外したいモジュールのモジュール名を指定します。例えば、lpモジュールを取り外す場合は、次のコマンドを管理者権限で実行します。

```
$ sudo rmmod lp ↵
```

＊3　lpモジュールが組み込み済みの場合は、実行しても「File exists」というエラーが表示されます。

rmmodコマンドも依存関係を考慮した処理はしません。そのため、実行順序によっては「Module モジュール名1 is in use by モジュール名2」というエラーが表示され、モジュールを取り外せないことがあります。例えば、ubifsモジュールを組み込んでいる状態でubiモジュールやmtdモジュールを取り外そうとしてもエラーになってしまいます。rmmodコマンドを使ってこうしたモジュールを取り外すには、そのモジュールを使用しているモジュールを先に取り外す必要があります。

依存関係を考慮するmodprobe

モジュールの依存関係を考慮しないinsmodコマンドやrmmodコマンドは使い勝手が良くありません。そのため、モジュールの組み込み／取り外しには、一般にmodprobeコマンドが使われます。modprobeコマンドの基本動作は、指定したモジュールの組み込みですが、オプション指定によってほかの動作をさせることが可能です。modprobeコマンドの主なオプションとその機能は**表3**の通りです。

表3　modprobeコマンドの主なオプションとその機能

オプション	機能	実行例
指定なし	指定したモジュールを組み込む	$ sudo modprobe lp ↵
-a	列挙した複数のモジュールを組み込む	$ sudo modprobe -a lp e1000 ↵
-c	全モジュールの設定を表示	$ modprobe -c ↵
-D	指定したモジュールの依存関係を表示	$ modprobe -D lp ↵
-n	操作を実行せず、表示だけ行う	$ sudo modprobe -n lp ↵
-r	指定したモジュールを取り外す	$ sudo modprobe -r lp ↵

modprobeコマンドの便利な点は、モジュール間の依存関係を考慮した処理をしてくれる点です。依存関係はモジュールディレクトリーにある「modules.dep.bin」ファイルの内容を調べることで解決します。このファイルには、モジュール同士の依存関係を記述した索引データが、高速アクセスしやすい形式で格納されています。

前述のubifsモジュールを例に挙げると、「sudo modprobe ubifs」というコマンドを実行しただけで、依存関係にあるubiモジュールやmtdモジュールも一緒に組み込んでくれます。また「sudo modprobe -r ubifs」というコマンドを実行すると、ubifsモジュールだけでなくubiモジュールやmtdモジュールも一緒に取り外してくれます。ただし、ubiモジュールやmtdモジュールがubifsモジュールとは無関係なほかのモジュールによって使用されている場合はそのままにします。

modprobeコマンドの処理の順序を確かめたければ、「-v」オプションを指定して実行します。実行例は**図6**の通りです。依存関係があるモジュールから先に組み込まれることが分かります。取り外しの場合は、逆に依存関係があるモジュールの方が後に取り外されます。

```
$ sudo modprobe -v ubifs ↵
insmod /lib/modules/5.4.48/kernel/drivers/mtd/mtd.ko
insmod /lib/modules/5.4.48/kernel/drivers/mtd/ubi/ubi.ko
insmod /lib/modules/5.4.48/kernel/fs/ubifs/ubifs.ko
```

図6　モジュールの組み込み順序を表示した例

依存関係の調査にはdepmod

モジュール同士の依存関係を調べ、その結果をmodules.dep.binファイルに格納する働きをするのがdepmodコマンドです。depmodコマンドは、カーネルをアップデート（あるいはインストール）した際などに自動実行されますが、ユーザーが個別にモジュールをモジュールディレクトリーに追加した場合などには、ユーザーがその都度実行する必要があります。

すべてのモジュールの依存関係を調べて、その情報をmodules.dep.binファイルに保存するには、次のコマンドを実行します。

```
$ sudo depmod -a ↵
```

モジュール同士の依存関係は、モジュール内部で使用するシンボルを基に調査します。ここで言うシンボルとは、関数名や変数名、ジャンプ先ラベルなどの情報です。あるモジュールAで、ほかのモジュールBで定義されるシンボル情報を参照していれば、モジュールAはモジュールBに依存していると判断できます。

2-4 モジュールへのオプション指定

insmodコマンドやmodprobeコマンドによるモジュール組み込み時には、オプションを指定してモジュールのパラメーターを変更できます。指定可能なオプションはモジュールによって異なります。modinfoコマンドでモジュールの詳細情報を出力すると、parmフィールドに「オプション名:指定可能なデータ型」の形で指定可能なオプションが列挙されます。出力には、オプションについての簡単な解説が付加されることもあります。

例えば、**ソフトウエアWatchdogタイマー***機能を提供する「softdog」モジュールの場合は、「soft_margin」というオプションでカウンターの初期値を秒単位で設定できます。

```
$ sudo modprobe softdog soft_margin=300 ↵
```

このようにコマンドを実行してsoftdogモジュールを組み込むと、300秒以内に/dev/watchdogファイルに書き込みをしてカウンタをリセットし続けなければコンピュータが再起動します。

モジュールに指定できるオプションの詳細については、カーネルのソースコード付属の文書群で説明されているケースもあります。例えば、Watchdogタイマー関連モジュールのオプションについては、「Documentation/watchdog/watchdog-parameters.rst」という文書で解説されています。解説文書がなく、ソースコードを調べなければ分からないモジュールもあります。

また、/etc/modprobe.dディレクトリーに**図7**のような内容を持つファイルを、末尾に「.conf」という接尾辞（拡張子）を持つファイル名で作成しておけば、モジュールの組み込み時にそのオプションが自動適用されるようになります。この設定ファイルでは、**表4**のようなコマンドを使用できます。

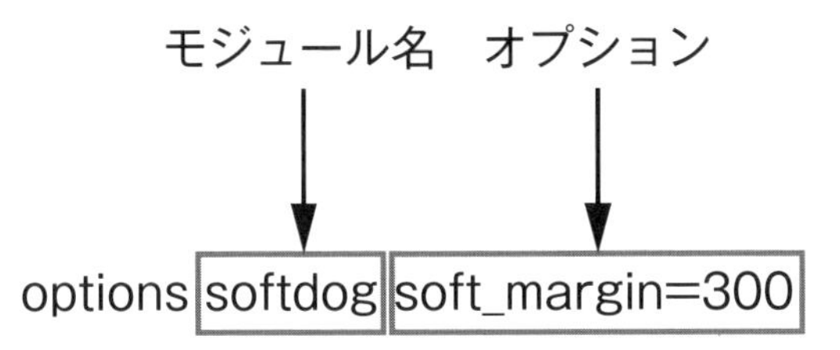

図7　モジュールの設定ファイルの記述例
このような内容を持つファイルを、末尾に「.conf」という接尾辞（拡張子）を持つファイル名で/etc/modprobe.dディレクトリー内に作成しておけば、モジュールの組み込み時にそのオプションが自動適用されるようになります。

表4　モジュールの設定ファイルに記述できるコマンドの例

コマンド	機能	書式
alias	モジュールの別名を設定	alias 別名 モジュール名
blacklist	指定したモジュールの別名をすべて無視する	blacklist モジュール名
include	他の設定ファイルを組み込む	include ファイル名
install	特定モジュールの組み込みが指示された際、モジュールを組み込む代わりに、ここで指定したコマンドを実行する	install モジュール名 コマンド
options	モジュールに適用するオプションを指定	options モジュール名 オプション
remove	モジュールの取り外しが指示された際、モジュールを取り外す代わりに、ここで指定したコマンドを実行する	remove モジュール名 コマンド

例えば、表4にあるblacklistコマンドを使えば、任意のモジュールの組み込みをブロックできます。米NVIDIA社が提供するビデオドライバモジュール「nvidia」を使用したい、といった場合に、邪魔なOSSビデオドライバモジュール「nouveau」を組み込まないようにするには、設定ファイルにblacklistコマンドを「blacklist nouveau」の形で記述します。

モジュール操作に失敗する原因

modprobeコマンドをいろいろ実行してみると、モジュールの依存関係以外の原因でも、モジュールの組み込みや取り外しに失敗することがあります。エラーメッセージとその原因には、主に**表5**のようなものがあります。

【ソフトウエアWatchdogタイマー】システムがハングアップした際にコンピュータを自動的に再起動する「Watchdogタイマー」の機能をソフトウエアで実装したものです。

表5　モジュール操作時に出るエラーメッセージの例とその主な原因

エラーメッセージ	主な原因
Invalid module format	稼働中のカーネルとモジュールのバージョンの不一致
Function not implemented	カーネルのモジュール機能やモジュール取り外し機能が有効になっていない
Operation not permitted	管理者権限でコマンドを実行していない、または、modules_disabledファイルでモジュール操作が禁止されている
No such module	指定したモジュール名の誤り
Unknown symbol in module, or unknown parameter (see dmesg)	依存関係データベースの未更新

比較的分かりやすいのが、カーネル設定に起因する制限です。モジュール機能そのものを無効にしたカーネル（「CONFIG_MODULE=y」設定でビルドしていないカーネル）では、当然、モジュールの組み込みはできませんし、モジュールの取り外し機能を無効にしたカーネル（「CONFIG_MODULE_UNLOAD=y」設定でビルドしていないカーネル）では、モジュールの取り外しはできません。

また、セキュリティ確保のためにモジュール操作をシステム起動後に禁止している場合もあります。モジュール操作は、/proc/sys/kernel/modules_disabledファイルの内容を既定の「0」（モジュール操作可能）から、「1」（モジュール操作禁止）に変更することで制限されます。具体的には次のコマンドを管理者権限で実行します。

```
$ sudo sh -c 'echo 1 > /proc/sys/kernel/modules_disabled' ↵
```

一度モジュール操作を禁止すると、システム再起動以外では（管理者であっても）その制限を解除できなくなります。

2-5 別名を利用した自動組み込み

モジュールは、必要に応じてカーネル自身やudevd*などのプログラムによって自動的に組み込まれます（図8）。例えば、音楽プレーヤーアプリケーションが「/dev/snd」ディレクトリーにあるデバイスファイルにアクセスした場合、そのデバイスファイルに対応付けられているデバイスドライバモジュールが組み込み済みでなければ、カーネルがそれを自動的に組み込みます。また、USBメモリーをPCに装着した場合には、そのイベント情報がカーネルからudevdに通知され、それに基づいてudevdがUSBメモリーを読み込むためのデバイスドライバモジュールを自動的に組み込みます。

いずれの場合も、最終的にはmodprobeコマンドを実行してモジュールを組み込む仕組みになっています。

【udevd】「udev」（userspace device management）というデバイス管理を担うデーモン（バックグラウンドプロセス）。2020年時点では「systemd」と呼ばれるシステムユーティリティーに含まれるソフトウエア（systemd-udevd）が使われることが多いようです。

カーネル自身がモジュールを組み込む場合

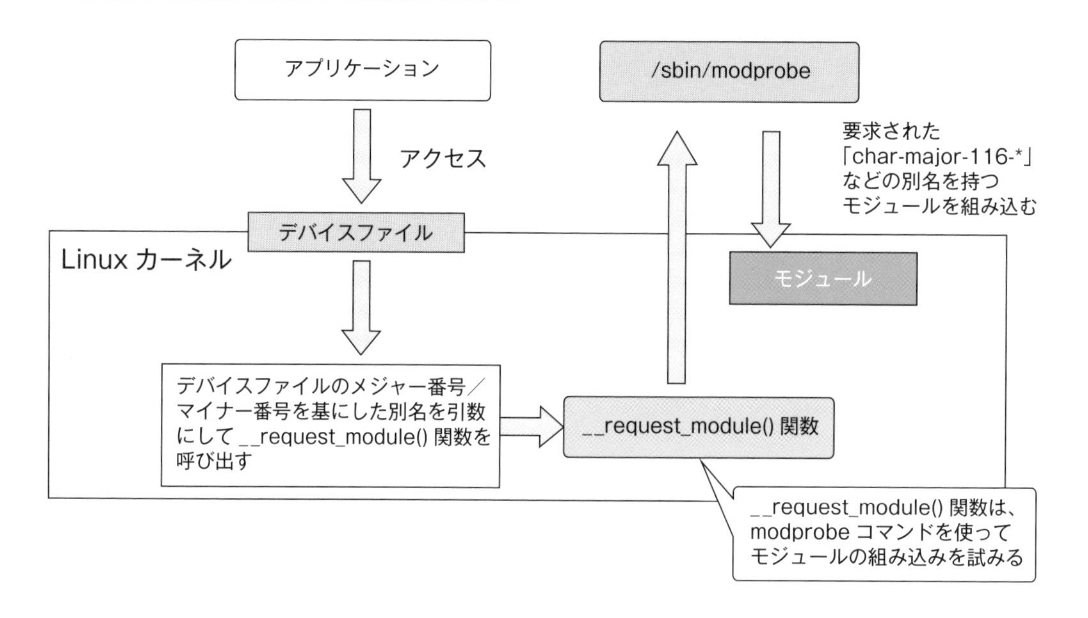

udevd がモジュールを組み込む場合

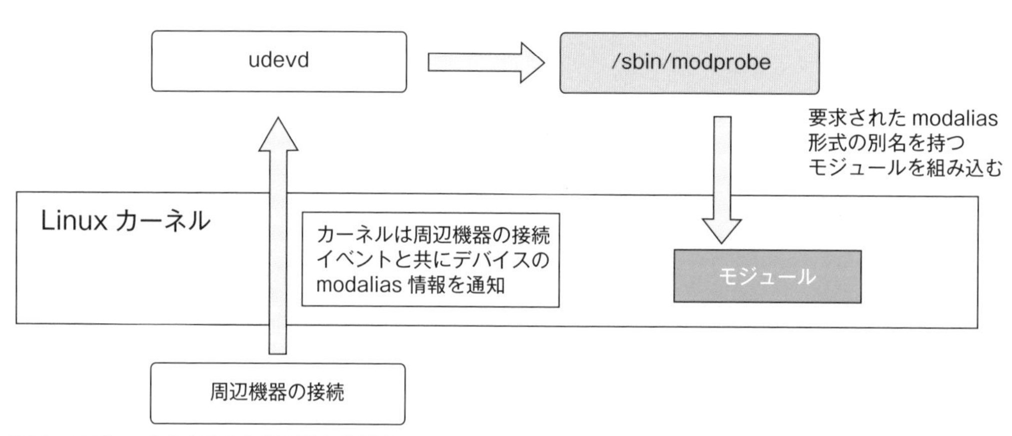

図8　モジュールを自動的に組み込む仕組み
モジュールは、必要に応じてカーネル自身やudevdなどのプログラムによって自動的に組み込まれます。その際に重要になる情報が、モジュールに付加されるalias（別名）です。

モジュールの自動組み込みの際に重要になる情報が、モジュールに付加されるalias（別名）です。aliasによるモジュールの自動組み込みについて知ることは、トラブル発生時の原因追跡の際などにも役立つので仕組みを理解しておきましょう。

自動処理用の別名には、主に二つのタイプがあります。一つは、カーネルがモジュールを組み込むのに使う識別情報を別名に設定するタイプです。カーネルは__request_module()関数＊4でモジュールを組み込みますが、処理を汎用化するためにモジュール名を直接指定するのではなく、間接的な識別情報を使うことがあります。

例えば、ネットワーク関連モジュールの指定に「net-pf-ソケット種別-proto-プロトコル番号」といった形式の識別情報を使うことがありますし、特定のデバイスファイルと関連するモジュールの指定に「デバイス種別-major-メジャー番号-マイナー番号」という形式の識別情報を使うことがあります。こうした識別情報をモジュールの別名に設定するのです。

例えば、SCTPというネットワークプロトコル用の「sctp」モジュールには「net-pf-2-proto-132」や「net-pf-10-proto-132」といった別名が付きますし、FDDドライバの「floppy」モジュールには「block-major-2-*」、サウンドデバイス用の「snd」モジュールには「char-major-116-*」といった別名が付けられています。こうすることで、あるプロトコルが要求されたり、あるデバイスファイルにアクセスがあった場合に、特定のモジュールを組み込む処理を簡単に実現できます。

もう一つは、デバイスの識別に使う「modalias情報」を別名に設定するタイプです。modalias情報は検出されたデバイスごとに割り振られる固有の文字列です。modalias情報の形式はデバイスを接続するバスなどによって異なりますが、PCI/PCI-Express接続のデバイスの場合には、デバイスのベンダーIDやプロダクトIDなどの情報を基に生成された「pci:v00001002d00005A14sv00001002sd00005A14bc06sc00i00」のような文字列になります。各デバイスのmodalias情報は、/sys/devicesディレクトリー以下の機器別ディレクトリーにあるmodaliasファイルを調べると分かります。

modalias情報は、デバイスの接続時などにカーネルからudevdに通知されます。udevdは、/lib/udev/rules.d/80-drivers.rulesなどに定義されているルールに基づいて、通知されたmodalias情報を使ってモジュールを組み込みます。

＊4　__request_module()関数は、/proc/sys/kernel/modprobeファイルで指定されているプログラムを使ってモジュールを組み込みます。既定では「/sbin/modprobe」ですが、ファイルの内容を書き換えることで別のプログラムを使うように設定できます。

2-6 デバイスとモジュールの関連付け

ハードウエアはほぼ共通のデバイスなのに、あるメーカーの製品AはLinuxで動作して、別のメーカーの製品Bは動作しないといったことがしばしばあります。

原因の一つとして、デバイスドライバモジュール内の対応機器リストに製品Bの情報が存在しないことが挙げられます。ここでいう製品情報とは、機器の製造元や製品を識別する「ベンダーID」と「プロダクトID」の組み合わせのことです。接続されている機器の製品情報は、PCI/PCI-Express接続機器の場合はlspciコマンド、USB接続機器の場合はlsusbコマンドを使って調べられます（**図9**）。

■PCI/PCI-Express接続機器のベンダーID／プロダクトIDの調査方法

```
$ lspci -n ↵
00:00.0 0600: 1002:5a14 (rev 02)
00:02.0 0604: 1002:5a16
00:04.0 0604: 1002:5a18
00:09.0 0604: 1002:5a1c
00:11.0 0106: 1002:4391 (rev 40)
00:12.0 0c03: 1002:4397
00:12.2 0c03: 1002:4396
```

この部分を参照

■USB接続機器のベンダーID／プロダクトIDの調査方法

```
$ lsusb ↵
Bus 001 Device 001: ID 1d6b:0002 Linux Foundation 2.0 root hub
Bus 002 Device 001: ID 1d6b:0002 Linux Foundation 2.0 root hub
Bus 003 Device 001: ID 1d6b:0002 Linux Foundation 2.0 root hub
Bus 004 Device 001: ID 1d6b:0001 Linux Foundation 1.1 root hub
Bus 005 Device 001: ID 1d6b:0001 Linux Foundation 1.1 root hub
Bus 006 Device 001: ID 1d6b:0001 Linux Foundation 1.1 root hub
Bus 007 Device 001: ID 1d6b:0001 Linux Foundation 1.1 root hub
Bus 008 Device 001: ID 1d6b:0002 Linux Foundation 2.0 root hub
Bus 009 Device 001: ID 1d6b:0003 Linux Foundation 3.0 root hub
Bus 004 Device 032: ID 05e3:0660 Genesys Logic, Inc. USB 2.0 Hub
```

```
Bus 004 Device 037: ID 0472:0065 Chicony Electronics Co., Ltd PFU-65 Keyboard [Chicony]
Bus 004 Device 034: ID 0582:0010 Roland Corp. EDIROL UA-5
Bus 004 Device 038: ID 0472:0065 Chicony Electronics Co., Ltd PFU-65 Keyboard [Chicony]
Bus 004 Device 039: ID 046d:c052 Logitech, Inc.
Bus 007 Device 090: ID 04e8:6860 Samsung Electronics Co., Ltd
```

この部分を参照

図9　機器のベンダーID/プロダクトIDの調査方法
PCI/PCI-Express接続機器の場合はlspciコマンド、USB接続機器の場合はlsusbコマンドを使って調べられます。

USBイーサネットドライバの「pegasus」のような一部のモジュールは、モジュール組み込み時に、オプションを使って機器のベンダーIDやプロダクトIDを指定できます。つまり「動作非対応の製品Bを、対応機器リストにある製品Aとして扱う」ことができ、対応機器を柔軟に追加できます。しかし、こうしたモジュールの数は多くありません。

その代わり、PCI/PCI-Express接続機器やUSB接続機器向けのモジュールでは、「ダイナミックデバイスID」という仕組みを利用できます。これは、モジュールを組み込んだ際に作成される「/sys/bus/バス名/drivers/モジュール名/new_id」という設定ファイルを使って、モジュールの対応機器を動的に追加する仕組みです。バス名には「pci」「pci_express」「usb」などがあります。

例えば、プラネックスコミュニケーションズが販売するUSB接続の無線LANアダプター「GW-USMicroN-G」のベンダーIDは「2019」（16進数）、プロダクトIDは「ed14」（16進数）です。バージョン5.4より前のカーネルでは、これらのID情報が対応するデバイスドライバモジュール「rt2800usb」内に存在しないことから、標準状態ではモジュールを組み込んでも機器は動作しません＊5。しかし、次のコマンドを実行して、/sys/bus/usb/drivers/rt2800usb/new_idファイルにID情報を書き込むとモジュールが働いて機器が動作するようになります。

```
$ sudo modprobe rt2800usb
$ sudo sh -c 'echo 2019 ed14 > /sys/bus/usb/drivers/rt2800usb/new_i
```

＊5　バージョン5.4以降のカーネルのrt2800usbモジュールのソースコードには、同機器のID情報が追加されています。そのため、モジュールを組み込むだけで同機器を利用できます。

```
d' ⏎
```

第3章

Linuxカーネルのビルド方法

ソースコードからカーネルをビルドできるようになれば、ディストリビューションに付属するカーネルでは有効化されていない機能を利用したり、最新版のカーネルを試したりすることが可能になります。コツを覚えてしまえば、カーネルのビルドは決して難しくありません。

3-1 Linuxカーネルをビルドする利点

Linuxカーネルは、**図1**のようなソースコードの形で開発・配布されています[*1]。ソースコードのままでは稼働できず、稼働させるには、システムアーキテクチャーに合わせたバイナリー形式に変換する必要があります。この変換作業のことを「ビルド」（または「コンパイル」）と呼びます。

```
（略）
asmlinkage __visible void __init start_kernel(void)
{
        char *command_line;
        char *after_dashes;

        set_task_stack_end_magic(&init_task);
        smp_setup_processor_id();
        debug_objects_early_init();

        cgroup_init_early();

        local_irq_disable();
        early_boot_irqs_disabled = true;

        /*
         * Interrupts are still disabled. Do necessary setups, then
         * enable them.
         */
        boot_cpu_init();
        page_address_init();
        pr_notice("%s", linux_banner);
        early_security_init();
        setup_arch(&command_line);
```

（略）

図1　Linuxカーネルのソースコードの例
init/main.cファイルに記述されているカーネルの起動処理をする関数のソースコードの一部です。

ビルド時には、カーネルが備える各機能の有効化／無効化や、モジュールファイル化するかどうかなどを設定できます（**図2**）。

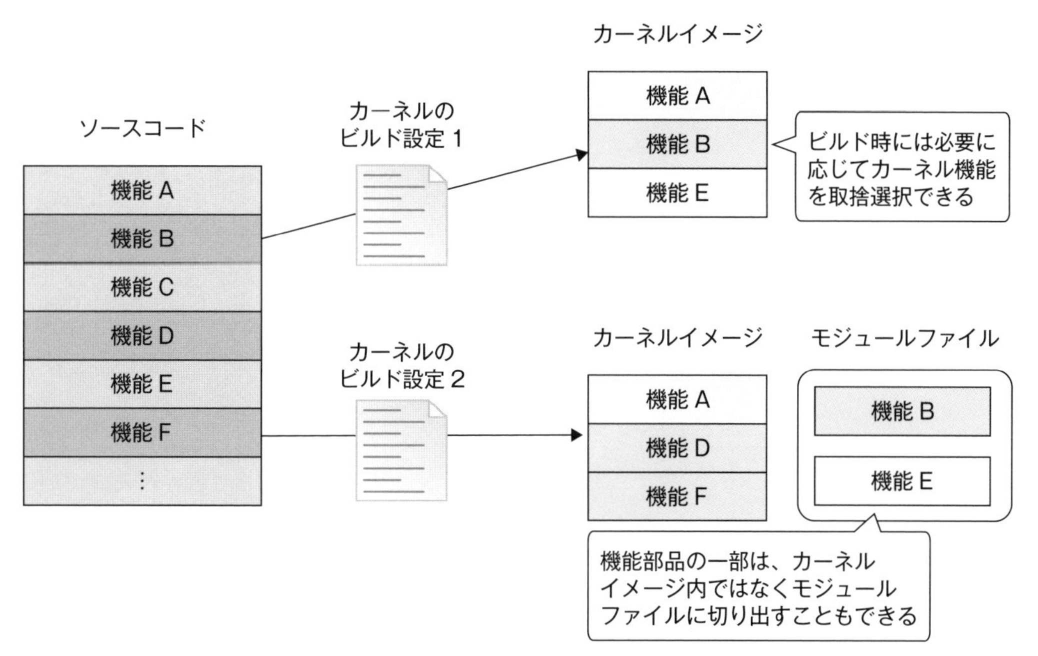

図2　カーネルのビルド時に機能のカスタマイズが可能
Linuxカーネルはソースコードの形で配布されています。稼働させるには、システムアーキテクチャに合わせたバイナリー形式に変換（ビルド）する必要があります。ビルド時には、カーネルが備える各機能の有効／無効や、モジュール化するかどうかなどを設定できます。

UbuntuなどのLinuxディストリビューションに付属するのは、ディストリビューターが設定してビルド済みのバイナリー形式のLinuxカーネルです。そのため、インストールしてすぐに稼働できますが、ディストリビューターが無効化した機能は利用できませんし、ディストリビューターが採用を決定した時点のやや古いバージョ

＊1　Linuxカーネルのソースコードは多数のファイルで構成されています。配布されているのは、それらのファイルをひとまとめにして圧縮した圧縮アーカイブファイルです。このほか、分散型バージョン管理システム「Git」のリポジトリーでもソースコードが公開されています。Linuxカーネル関連のGitリポジトリーは「https://git.kernel.org/」というURLにアクセスすると分かります。

ンのカーネルしか利用できないことがほとんどです。

カーネルを自分でビルドできるようになれば、好きな機能を有効化できますし、最新バージョンのカーネルを利用できるようにもなります。また、ソースコードを変更して機能をカスタマイズするといったことも可能になります。

カーネルをビルドする三つの方法

Linuxカーネルをビルド／インストールする方法は、主に三つあります（**表1**）。

表1　Linuxカーネルをビルド／インストールする主な三つの方法

ビルド／インストールの方法	長所	短所
カーネルのソースアーカイブをビルドしてインストール	最新カーネルを利用できる。比較的作業が簡単でディストリビューションにもあまり依存しない	パッケージ管理システムでの管理ができず、カーネルのアンインストールに若干手間がかかる。ディストリビューション付属のカーネルとバージョンが異なる場合、インタフェースや機能の差によってシステムやアプリケーションの動作に問題が出る恐れがある
カーネルのソースアーカイブからパッケージをビルドしてインストール	最新カーネルを利用できる。比較的作業が簡単。パッケージ管理システムでカーネルを管理できるので、カーネルのアンインストールも容易	パッケージをビルドするためのツールや作業が必要になる。ディストリビューション付属のカーネルとバージョンが異なる場合、インタフェースや機能の差によってシステムやアプリケーションの動作に問題が出る恐れがある
ディストリビューターが提供するカーネルのソースパッケージからパッケージをビルドしてインストール	ディストリビューションに適合したカーネルを作成できる。パッケージ管理システムでカーネルを管理できるので、カーネルのアンインストールも容易	作業手順がやや複雑で、しかもディストリビューションによって異なる。ディストリビューターが提供するバージョンのカーネル以外は利用しづらい

一つめは、「The Linux Kernel Archives」（https://www.kernel.org/）などで配布される公式カーネル＊2のソースアーカイブを入手して、それをビルドしてそのままインストールする方法です。ディストリビューションに依存せず、作業手順も単純ですから、まずはこの方法を覚えておきましょう。

この方法を知っておけば、好きなバージョンのカーネルを自由にビルド／インストールできます。ただし、この方法はカーネルをアンインストールする方法が少しだけ面倒です。また、ディストリビューションに付属するカーネルと異なるバージョンをインストールすると、アプリケーション向けのインタフェースが変わることや、機能の差異などによって、システムやアプリケーションの動作に問題が生じることがあります＊3。

二つめは、公式カーネルのソースアーカイブを入手して、それをもとにディストリビューションに適合したソフトウエアパッケージをビルドし、それをインストールする方法です。一つめに比べると準備すべきツールや手順が若干増えますが、カーネルをパッケージ管理システムで管理できるため、アンインストール作業が簡単になる利点があります。

三つめは、ディストリビューターが提供するカーネルのソースパッケージを入手して、それをビルド／インストールする方法です。前述の二つの方法とは異なり、ディストリビューションに適合するカーネルを導入できるので、導入後の不具合が生じる恐れが少ないのが大きな利点です＊4。その半面、ソースパッケージの入手方法やビルドの手順がディストリビューションごとに違っていて、しかも作業手順は全体的にやや複雑です。ディストリビューターが提供するバージョンのカーネル以外は利用しにくいという欠点もあります。

以下ではまず、一つめの方法について紹介します。その後、二つめの方法をUbuntu 20.04 LTSとCentOS 8を例に紹介します。三つめの方法については、本書では解説しません。手順については、各ディストリビューション向けの文書を参照してください。

＊2 余計な変更（味付け）を加えていないという意味で、公式カーネルのことを「バニラカーネル」（vanilla kernel）と呼ぶこともあります。

＊3 Linuxカーネルは、API（Application Programming Interface）とABI（Application Binary Interface）の後方互換性を極力保つように作られています。そのため、ディストリビューションに付属するものより新しいバージョンのカーネルを使う分には問題は生じにくくなっています。

＊4 有効にするカーネル機能を極端に減らすなど、大幅な設定変更をした場合は、システムやアプリケーションの動作に支障が出る場合があります。

3-2 ビルドに必要なソフトウエアを導入

それではLinuxカーネルをビルドするための具体的な手順を紹介します。ここではUbuntu 20.04 LTSあるいはCentOS 8がインストールされたPC上でLinuxカーネルをビルドし、そのカーネルをインストールして起動する作業をやっていきます。最初に、ビルドに必要なソフトウエアを導入する手順を解説します。

Linuxカーネルのソースコードの大部分はC言語で記述されています。そのためカーネルのビルドには、**Cコンパイラ**＊が必要です。

ただし、Cコンパイラであれば何でも良いというわけではありません。Linuxカーネルでは「GCC」(GNU Compiler Collection)の拡張機能を積極的に使用しており、GCC以外のCコンパイラでは基本的にビルドできません＊5。

GCCのほか、makeコマンドなどのビルド支援ツール、Cライブラリなどを使うための**ヘッダーファイル**＊、いくつかのライブラリなども必要です。これらのソフトウエアは、例えばUbuntu 20.04 LTSには次の手順でインストールできます。

```
$ sudo apt update ↵
$ sudo apt install build-essential bc bison flex libelf-dev libssl-
dev libncurses5-dev ↵
```

CentOS 8には、次のコマンドを実行することでインストールできます。

```
$ su ↵
# dnf groupinstall "Development Tools" ↵
# dnf install epel-release ↵
# dnf install bc dwarves elfutils-libelf-devel openssl-devel rsync
ncurses-devel ↵
# exit ↵
```

文字ベースのユーザーインタフェースを提供するためのライブラリのヘッダーファイルを提供する「libncurses5-dev」や「ncurses-devel」パッケージは、後述するmakeコマンドのカーネル設定用**ターゲット**＊（menuconfig）で必要です。同ターゲットを使わないのであれば、インストールする必要はありません。

ここで紹介した手順では、後述するカーネルのパッケージをビルドする場合に必要なソフトウエアもインストールできます。

【Cコンパイラ】C言語で記述されたソースコードをもとに実行可能なバイナリーファイルを生成するソフトウエアです。

＊5 64ビットのx86アーキテクチャーの場合は、バージョン5.3以降のカーネルを「Clang/LLVM」というCコンパイラでビルドできます。

【ヘッダーファイル】ライブラリなどのAPIを定義したファイル。Linuxカーネル自体は、Cライブラリなどのほかのライブラリの機能を使わずに実装されていますが、カーネルと同時にビルドされるツールで使用しており、それらのツールをビルドするためにヘッダーファイルが必要です。

【ターゲット】makeコマンドによって一括処理する一連の処理に名前を付けたもの。makeコマンド用の設定ファイル（Makefile）に記述します。「make ターゲット名」で実行できます。

3-3 ソースアーカイブの入手と展開

ツールを準備したら、ソースアーカイブを入手して展開してみましょう。カーネルのソースアーカイブは前述のThe Linux Kernel Archivesや、そのミラーサイトから入手できます（**図3**）。

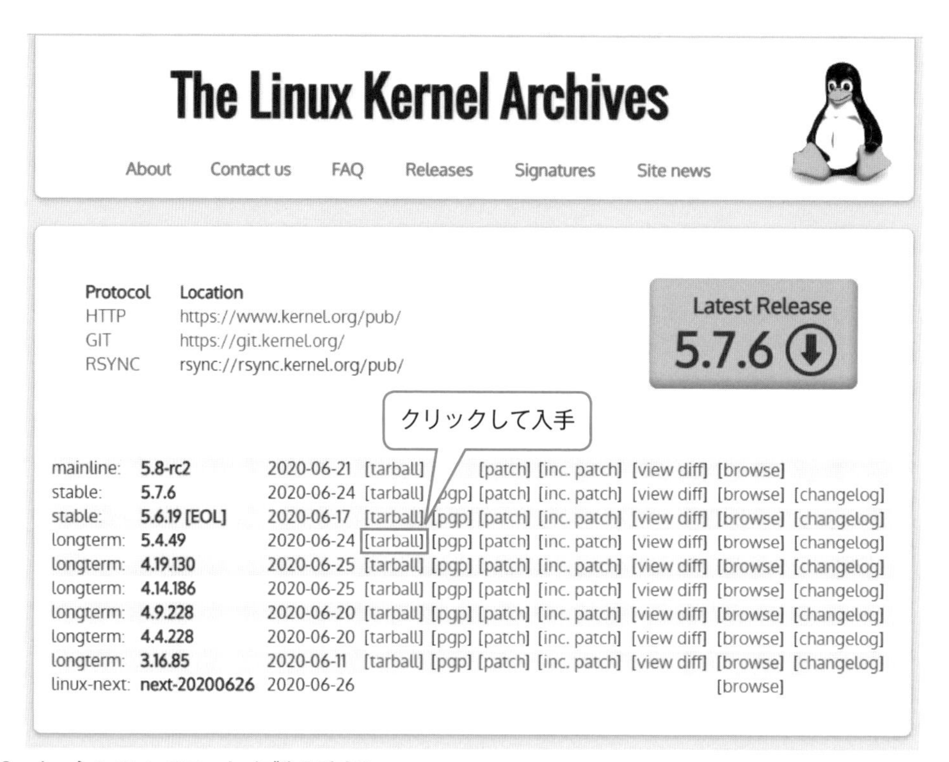

図3　カーネルのソースアーカイブを入手する
The Linux Kernel Archives（https://www.kernel.org/）でダウンロードできます。ここでは「longterm」の最新版である「5.4.49」を入手しています。

ソースアーカイブが提供されるカーネルの種類は、「mainline」「stable」「longterm」の主に三つがあります。

mainlineは、現在開発中（あるいはリリース直後）の最新カーネルです。あるメジャーバージョンのカーネル（例えば「5.4」）がリリースされると、若干の準備期間を経て、次のメジャーバージョン（例えば「5.5」）のmainlineカーネルの開発が始まります。正式リリースまでの間に、開発途中のバージョンが何度かテスト用に公開されます。テスト用のカーネルには、バージョン番号の末尾に「-rc1」や「-rc2」

などの文字列が付加されます＊6。

正式リリースされたmainlineカーネルは、安定版を意味する「stable」に分類されます。正式リリース直後の最新版カーネルは「mainline」でもあり「stable」でもあります。stableカーネルは、リリース後しばらくの間はバグ修正などのメンテナンスが継続され、マイナーバージョン番号を付加したバージョン（例えば「5.4.1」や「5.4.2」など）が何度かリリースされます（図4）。stableカーネルのメンテナンスは、次のメジャーバージョンのカーネルがリリースされると基本的には中止されます。

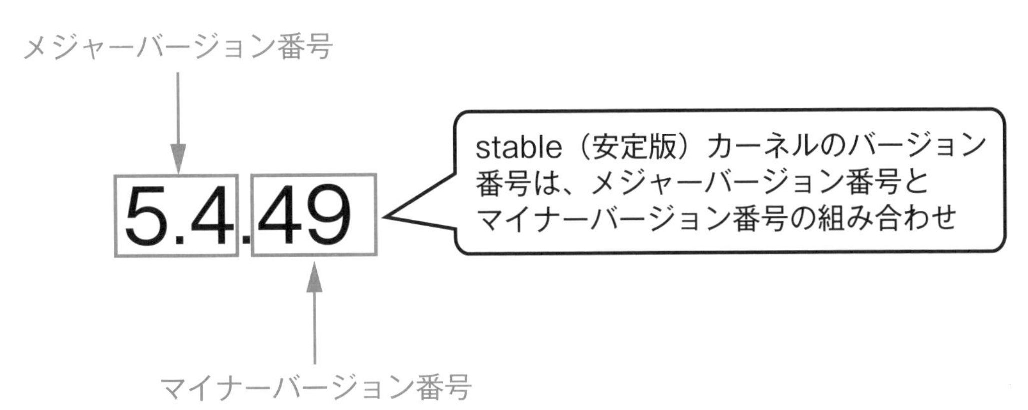

図4　stableカーネルのバージョン番号
メジャーバージョン番号とマイナーバージョン番号を組み合わせたものになっています。

stableカーネルの中から、長期間メンテナンスをする「longterm」カーネルが年に一つ程度の間隔で選出されます。longtermカーネルのメンテナンス期間は6～7年間です。本書が対象とするバージョン5.4系列のカーネルもlongtermカーネルです。

カーネルのソースアーカイブは、「linux-カーネルのバージョン番号」で始まるファイル名を付けて配布されています。バージョン5.x系列のカーネルのソースアーカイブは「https://mirrors.edge.kernel.org/pub/linux/kernel/v5.x/」というURLなどから入手できます。

例えば、バージョン5.4.49のカーネルのソースアーカイブは「linux-5.4.49.tar.xz」のようなファイル名で配布されています。アーカイブ形式には、tar.gz形式とtar.xz

＊6 「rc」は「release candidate」（リリース候補版）であることを意味します。

形式の2種類が用意されており、一般に後者の方がアーカイブサイズは小さくなっています。

ソースアーカイブの見分け方が分かったところで実際に入手しましょう。

ダウンロードしたソースアーカイブは、次のようにtarコマンドを実行すると展開できます。

```
$ tar xvf ソースアーカイブファイル名 ↵
```

コマンドの実行が終わると、「linux-カーネルのバージョン番号」という名前のディレクトリーが生成され、そのディレクトリー以下にカーネルのソースコードなどを記述したファイル群が展開されます。カーネルソースを展開する場所は、一般ユーザーが書き込みできる場所であればどこでも構いません。例えば、ホームディレクトリーに「tmp」などの作業用ディレクトリーを作成し、そこに展開するとよいでしょう。

なお、ソースアーカイブを展開して生成されたディレクトリー（ソースディレクトリー）やその中のファイル群は、カーネルのビルドやインストールの作業が終わったあとは削除して構いません。

ただし、サードパーティー製のモジュールをビルドする場合などには、「/lib/modules/カーネルのリリース番号/build」や「/lib/modules/カーネルのリリース番号/source」というシンボリックリンクを通じて、ソースディレクトリーにアクセスできるようになっている必要があります。そういう作業をする可能性があるならば、ソースディレクトリーはそのまま残しておいた方がよいでしょう。

3-4 ソースツリー解説

ソースアーカイブを展開すると、多数のサブディレクトリーで構成されるディレクトリー階層が作成され、そこにソースコードなどを記述したファイル群が作成されます。これらのディレクトリー階層のことを「ソースツリー」と呼びます。ここでは、このソースツリーについて簡単に解説します。

ソースツリーの根元、つまりソースツリーの最上位ディレクトリー（以下では、このディレクトリーを「トップディレクトリー」と呼びます）には、**表2**のようなファイルやディレクトリーが配置されます。

表2　トップディレクトリーに配置されるファイルやディレクトリー

種別	名前	格納する情報
ファイル	COPYING	カーネルの利用ライセンス文書
	CREDITS	Linuxプロジェクトに貢献した人々の氏名や連絡先
	Kbuild	カーネルビルド用の設定ファイル
	Kconfig	カーネルのビルド設定ツールで使用するファイル
	MAINTAINERS	カーネルの各部分のメンテナンス責任者の氏名や連絡先
	Makefile	カーネルのビルドや設定に使用するツールの設定ファイル
	README	最初に読むべき説明文書
ディレクトリー	Documentation	カーネル関連のさまざまな文書
	LICENSES	カーネルを構成する各ソースコードの利用ライセンス文書
	arch	アーキテクチャ依存のソースコードやヘッダーファイル
	block	ブロック入出力層関係のソースコード
	certs	署名チェックに使用する証明書関連のソースコード
	crypto	暗号API関連のソースコード
	drivers	デバイスドライバのソースコード
	fs	ファイルシステムのソースコード
	include	カーネル自身やアプリケーションが参照するヘッダーファイル
	init	カーネルの起動や初期化などの処理用のソースコード
	ipc	プロセス間通信のためのソースコード
	kernel	カーネルのコア部分のソースコード
	lib	カーネル内のさまざまな場所で使用する共用コード（ヘルパールーチン）
	mm	メモリー管理関連のソースコード
	net	ネットワーク関連のソースコード
	samples	サンプルコードやデモンストレーション用のコード
	scripts	カーネルビルド時に使用するスクリプト
	security	セキュリティモジュールのソースコード
	sound	サウンド関連のソースコード
	tools	カーネルの開発やデバッグに役立つツールやそのソースコード
	usr	システム初期化用ファイルシステムイメージ（initramfs）関連のソースコード
	virt	仮想化関連のソースコード

このうち、kernelディレクトリーには、タスクスケジューラなどのカーネルのコア部分のソースコードを記述したファイルが格納されています。例えば、第4章で解説するタスクスケジューラ「CFS」のソースコードは「kernel/sched/fair.c」というファイルに記述されています＊7。カーネルのコア部分の処理について調べたい場合は、kernelディレクトリー以下のファイルを調べるとよいでしょう。

デバイスドライバのソースコードは、driversディレクトリー以下に種類別に分類されて格納されています。例えば、PCI-Express接続のギガビットイーサネットアダプター「インテル PRO/1000 PTサーバーアダプター」など向けのデバイスドライバ「e1000e」のソースコードファイルは、「drivers/net/ethernet/intel/e1000e」ディレクトリーに格納されています。デバイスドライバの動作を一部変更したいといった場合には、driversディレクトリー以下のファイルから該当するデバイスドライバのソースコードが記述されているものを探して、それを変更します。

カーネルの利用者の視点で重要なのは、「Documentation」ディレクトリーです。このディレクトリーには、カーネルの利用や開発に役立つさまざまな文書ファイルが格納されているからです。例えば、カーネルのリリースノートは「Documentation/admin-guide/README.rst」というファイルに記述されています＊8。カーネルの起動時に指定できるパラメータの一覧は「Documentation/admin-guide/kernel-parameters.rst」などのファイルに記述されています。

＊7 ソースツリー内のファイルは一般に、このようにトップディレクトリーからの相対パスで示します。

＊8 末尾の「.rst」は、ドキュメント生成ツール「Sphinx」用のファイルであることを示します。この形式のファイルからは、同ツールを使ってHTML形式やPDF形式などの書式付き文書を生成できます。なお、単なるテキストファイルとして、lessコマンドなどで読むこともできます。

3-5 カーネルのビルド設定

カーネルのビルド時には、カーネルの各種機能の有効化や無効化、モジュール化を指示できます。こうした指示は、機能ごとに用意された「CONFIG_設定名」という形式のカーネル設定変数に「y」(有効化してカーネルイメージに組み込む)、「n」(無効化)、「m」(有効化してモジュールファイルに切り出す)のいずれかの文字を指定することで設定できます*9。

例えば、「ext4」というファイルシステムに対応するための機能を有効化してカーネルイメージに組み込むには、次のようにカーネル設定変数に文字を指定します。

```
CONFIG_EXT4_FS=y
```

こうしたカーネル設定変数は、ソースツリーのトップディレクトリーに格納される「.config」という名前のファイルに**図5**のような形式で記述します。このファイルに記述しなかったカーネル設定変数は、「n」を指定したのと同じ、つまり機能を無効化する指定をしたものとして取り扱われます。

```
#
# File systems
#
CONFIG_DCACHE_WORD_ACCESS=y
# CONFIG_VALIDATE_FS_PARSER is not set
CONFIG_FS_IOMAP=y
# CONFIG_EXT2_FS is not set
# CONFIG_EXT3_FS is not set
CONFIG_EXT4_FS=y
CONFIG_EXT4_USE_FOR_EXT2=y
CONFIG_EXT4_FS_POSIX_ACL=y
CONFIG_EXT4_FS_SECURITY=y
# CONFIG_EXT4_DEBUG is not set
CONFIG_JBD2=y
```

```
# CONFIG_JBD2_DEBUG is not set
CONFIG_FS_MBCACHE=y
（略）
```

図5　ビルド設定ファイル「.config」の記述例
.configファイル内のファイルシステム関連の記述を抜き出したものです。「CONFIG_設定名」という形式のカーネル設定変数に「y」や「m」といった値が設定されていることが分かります。コメントにするなどしてカーネル設定変数を記述しないようにすると、その機能を無効化できます。

カーネル設定変数を覚えているならば、.configファイルを直接編集して記述しても構いません。しかしカーネル設定変数は1万7000種類以上あり、それらをすべてユーザーが把握して手動で記述するのは大変です。そこで、対話形式あるいはメニュー形式でカーネルのビルド設定をするための、makeコマンドのターゲットが複数用意されています。これらのターゲットは、ソースツリーのトップディレクトリーで「make ターゲット名」の形でコマンドを実行すると起動します（**表3**）。

表3　makeコマンドのビルド設定用ターゲット

ターゲット名	解説
config	カーネル設定変数を一つずつ順に表示して、どのような値を設定するかを対話的にたずねる
menuconfig	文字ベースの設定メニューを表示。任意の順番でカーネル設定変数に値を設定できる。実行にはncursesライブラリとそのヘッダーファイルが必要
xconfig	GUI設定メニューを表示。任意の順番でカーネル設定変数に値を設定できる。実行にはQtライブラリとそのヘッダーファイルが必要
gconfig	GUI設定メニューを表示。任意の順番でカーネル設定変数に値を設定できる。実行にはGTK+ライブラリとそのヘッダーファイルが必要

使いやすいのは、「menuconfig」というターゲットです（**図6**）。このターゲットが表示する設定メニューは、設定項目が階層的に分類されている上、各設定項目を選んだ状態で<Help>を選択すると設定項目についての説明が表示されるので分かりやすくなっています。GUI設定メニューを表示するほかのターゲットに比べると、キーボードだけで操作できて（慣れると）素早く設定できることや、ネットワーク経由でのリモート操作時にも操作しやすいという利点があります。

＊9　有効化もしくは無効化だけが可能なカーネル設定変数もあります。これらの文字の代わりに数値や文字列を指定するカーネル設定変数もあります。

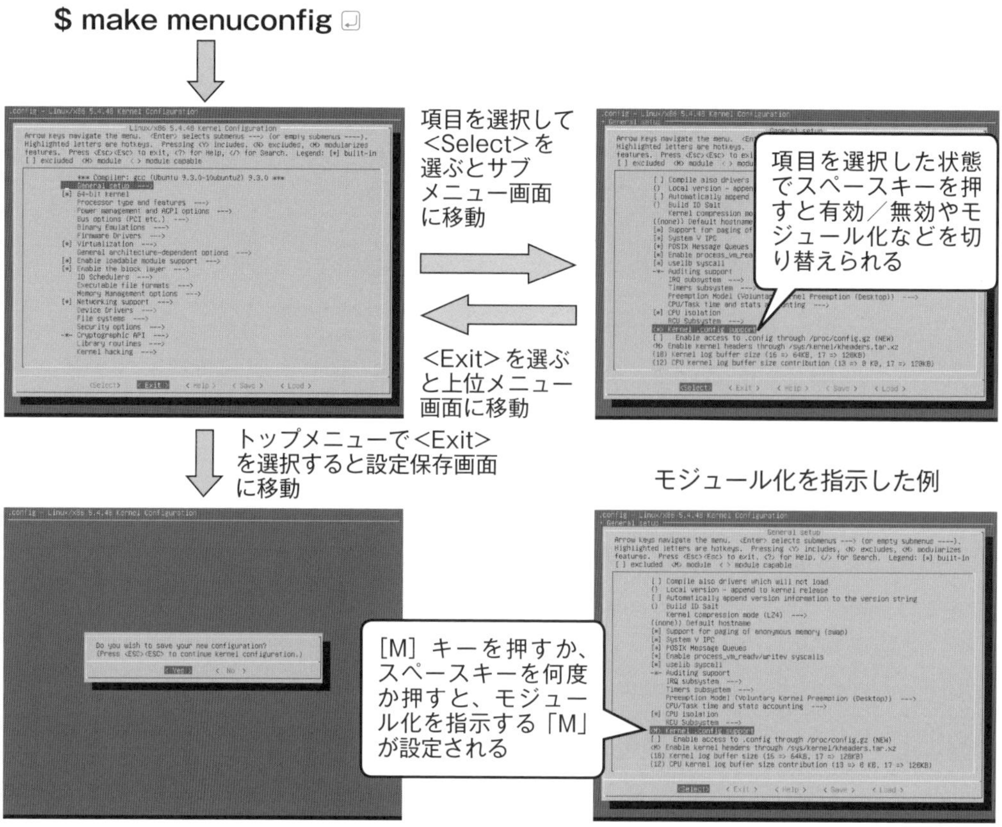

$ make menuconfig

項目を選択して<Select>を選ぶとサブメニュー画面に移動

項目を選択した状態でスペースキーを押すと有効／無効やモジュール化などを切り替えられる

<Exit>を選ぶと上位メニュー画面に移動

トップメニューで<Exit>を選択すると設定保存画面に移動

モジュール化を指示した例

［M］キーを押すか、スペースキーを何度か押すと、モジュール化を指示する「M」が設定される

図6　menuconfigターゲットによる設定の方法

選択箇所の移動には矢印キーか［Tab］キー、設定値の変更にはスペースキーか、［Y］［M］［N］の各キーを使います＊10。<Select><Exit><Help>の選択には［Enter］キーを使います。

既存のビルド設定ファイルをベースに設定する方法

menuconfigなどのビルド設定用ターゲットを使うことで、作業負荷はある程度軽減されます。しかしそれでも設定項目の数は膨大ですし、どのような設定項目を有効化／無効化すべきか、あるいはモジュール化すべきかなどを正しく判断するためには、Linuxカーネルやハードウエアなどについてのかなりの知識を要求されます＊11。

ディストリビューションに付属するビルド設定ファイルを流用すれば、こうした作業負荷や難しさを大幅に減らせます。

大部分のディストリビューションは、/bootディレクトリーなどに「config-カーネルのリリース番号」といった名前のビルド設定ファイルを配置しています。これを使えば、すぐにディストリビューションのカーネルと同じビルド設定にできます。その上で、変更したい部分だけをビルド設定用ツールで設定すれば短時間での設定が可能です。

例えば、Ubuntu 20.04 LTSの「/boot/config-5.4.0-37-generic」という設定ファイルから設定を流用するには、ソースツリーのトップディレクトリーで次のコマンドを実行します。

```
$ cp /boot/config-5.4.0-37-generic .config ↵
$ make syncconfig ↵
```

「syncconfig」は、.configファイルに記述されているビルド設定と、これからビルドしようとするカーネルの設定変数の違いを吸収するためのmakeコマンドのターゲットです。ビルド設定ファイルが想定するカーネルのバージョンと、ビルドしようとするカーネルのバージョンが異なる場合は、このターゲットを実行しておいた方がよいでしょう。

自動吸収できない設定項目については、どのようにするかをユーザーに問い合わせ、対話的に設定できます。対話的な設定では、ほとんどの場合、[Enter] キーのみを押してデフォルト値を適用するとよいでしょう。

なお、ビルド設定用ターゲットのmenuconfigを起動してビルド設定を保存して終了することでも、syncconfigターゲットを実行したのと同じ結果が得られます。そのため、menuconfigでビルド設定を変更する場合は、syncconfigターゲットの実行は不要です。

ほかのmakeコマンドのビルド設定用ターゲット

前述のsyncconfig以外にも、makeコマンドに指定できるビルド設定用のターゲットがあります（**表4**）。これらを活用すると、ビルド設定をさらに省力化できます。

＊10　数値や文字列を設定する項目の場合は、キーボードからそれを入力します。

＊11　.configファイルが存在しない状態でmenuconfigターゲットを実行した場合は、すべてのビルド設定変数にデフォルト値が設定されます。デフォルト値は、/bootディレクトリーなどに現在稼働中のカーネルのビルド設定ファイルがある場合は、それから読み込まれます。そのため、値を変更せずに保存しても、多くの場合は、ビルド後のカーネルを動作させても問題は生じません。

表4　makeコマンドの主なビルド設定用ターゲット

ターゲット名	動作	備考
defconfig	すべてのビルド設定変数をデフォルト値にした.configファイルを生成する	x86_64向けのデフォルト値は、arch/x86/configs/x86_64_defconfigファイルから読み込まれる
allyesconfig	可能な限り多くのビルド設定変数に「y」を設定した.configファイルを生成する	排他関係となるカーネル設定変数群は、最優先の一つに「y」が設定され、他のものは無効化される
allmodconfig	可能な限り多くのビルド設定変数に「m」を設定した.configファイルを生成する	モジュール化できないカーネル設定変数には「y」が設定される
allnoconfig	可能な限り多くのビルド設定変数を無効化した.configファイルを生成する	最低限必要なカーネル設定変数には「y」などの値が設定される
randconfig	各ビルド設定変数にランダムな値を設定する	
localmodconfig	現在稼働中のモジュールを調査し、稼働中のモジュールに対応する.configファイル内に記述されているビルド設定変数に「m」を設定する。他のモジュールに対応するビルド設定変数は無効化する	.configファイルが存在しない場合は、稼働中のカーネルのビルド設定を読み出して、それに対して処理を実施する
localyesconfig	localmodconfigと同様だが、稼働中のモジュールに対応するビルド設定変数に「y」を設定する	.configファイルが存在しない場合は、稼働中のカーネルのビルド設定を読み出して、それに対して処理を実施する

中でも有用なのが、localmodconfigというターゲットです。「make localmodconfig」というコマンドを実行すると、現在使用中のモジュールを調査し、その結果に基づいて.configファイル内の設定を調整します。具体的には、現在使用中のモジュールに対応するカーネル設定変数には「m」を設定し、それ以外のモジュール化可能なカーネル設定変数をすべて無効化します。つまり、システム稼働に最小限必要なモジュールファイルだけを生成するように、既存のビルド設定を調整してくれるのです。この調整をすることで、カーネルのビルドにかかる時間を大幅に短縮できます。

ただしlocalmodconfigターゲットは、あくまでも現在のビルド設定に記述されているモジュール化可能なカーネル設定変数を調整するためのものです。現在のビルド設定に記述されていないカーネル設定変数を新たに追加設定することはありません。そのため、例えば、次のようにコマンドを実行しても、意味のあるビルド設定は生成できませんので注意してください＊12。

```
$ make allnoconfig ↵      ←ビルド設定の変数記述を可能な限り無効化（削除）する
$ make localmodconfig ↵  ←記述されていないビルド設定の変数は設定されない
```

3-6 カーネルのビルドとインストールの手順

ビルド設定を終えたら、カーネルをビルドしてインストールできます。ソースツリーのトップディレクトリーで次のコマンドを実行すると、カーネルをビルドしたのち、インストールが行われます。

```
$ make
$ sudo make modules_install
$ sudo make install
```

sudoコマンドが使えない場合は、次のようにsuコマンドを使います。

```
$ make
$ su
# make modules_install
# make install
# exit
```

最初に実行するmakeコマンドでカーネルがビルドされます。makeコマンドの実行完了までの時間は、PCの性能やビルド設定によって変わります。低性能なPCで多くの機能を有効化した場合は、1～数時間かかることもあります。

次の「make modules_install」コマンドでモジュールファイルが、「make install」コマンドでカーネルイメージや、初期化用ディスクイメージがインストールされます。カーネルイメージのインストール後には、ブートローダーの設定も更新されます。

なお、ビルドの際にはmakeコマンドに「-j 数字」という形でオプションを指定することで、並列処理の数を指定できます。これを活用するとビルド時間を短縮できます。一般に、PCの論理的なCPU数（同時に実行できるプログラム数）と同じ

＊12　ただし、.configファイルが存在しない状態でlocalmodconfigやlocalyesconfigターゲットを実行した場合は、現在稼働中のカーネルのビルド設定情報を読み出して、それに基づいた設定をします。

数値を指定すると概ね良好な結果が得られます。

nprocコマンドを使えば、論理的なCPU数を得られますので、次のようにmakeコマンドを実行するとよいでしょう。

```
$ make -j `nproc` ⏎
```

「make modules_install」の実行によって、ビルドしたモジュールファイルが「/lib/modules/カーネルのリリース番号」というディレクトリー以下にインストールされます。

「make install」の実行によって、「installkernel」というコマンドが呼び出されます*13。これによって、多くのディストリビューションでは、カーネルイメージファイルが/bootディレクトリーにコピーされます。カーネルイメージファイルは一般に「vmlinuz」から始まる名前になります。

新しいカーネルのインストール後は、ブートローダーのメニューからそのカーネルを選択することで起動できます。システムで現在利用中のカーネルのリリース番号は、次のコマンドを実行することで確認できます。

```
$ uname -r ⏎
```

カーネルのアンインストール方法

前述した手順でインストールしたカーネルとモジュールファイルをアンインストールする場合は、一般に「モジュールファイルのインストール先ディレクトリーの削除」「カーネルイメージの削除」「ブートローダーの設定更新」の三つの作業が必要です。

モジュールファイルのインストール先ディレクトリーの削除は簡単です。「/lib/modules/カーネルのリリース番号」というディレクトリーを削除すればよいのです。例えば、バージョン5.4.49のカーネルをビルドしてインストールした場合は、次のコマンドを実行すればモジュールファイルのインストール先ディレクトリーを削除できます。

```
$ sudo rm -rf /lib/modules/5.4.49
```

カーネルイメージは、カーネルイメージのインストール先ディレクトリーで「rm -i *カーネルのリリース番号*」というコマンドを実行すれば削除できます。カーネルのリリース番号の前後に「*」というワイルドカードを指定することで、カーネルイメージだけでなく、設定ファイルや初期化用ディスクイメージなども一緒に削除できます。-iオプションを指定することで、ファイルを削除してもよいかどうかをユーザーに問い合わせるようになるので安心です。

例えば、/bootディレクトリーにインストールされたバージョン5.4.49のカーネルのカーネルイメージなどを削除する場合は、次のコマンドを実行します。

```
$ sudo rm -i /boot/*5.4.49*
```

最後にブートローダーの設定を更新します。この作業はディストリビューションやブートローダーによって異なります。Ubuntu 20.04 LTSを使用している場合は、次のコマンドを実行するとブートローダーの設定を更新できます。

```
$ sudo update-grub
```

CentOS 8を使用している場合は、次のコマンドを実行します。

```
$ su
# grub2-mkconfig -o `readlink -e /etc/grub2.cfg`
# exit
```

前回のビルド作業時に生成したファイルの削除方法

一度カーネルをビルドした後、ビルド設定を変えたり、ソースコードの一部を編

＊13 installkernelコマンドは各ディストリビューションに合わせて作成されています。このコマンドを介することで、ディストリビューションごとの違いを意識せずにカーネルをインストールできるようになっています。

集したりして、カーネルを再度ビルドしたい場合があります。その場合も、多くの場合は、通常通りのビルド／インストールの手順を繰り返すことで、設定やソースコードの変更を反映したカーネルをビルドできます。

ただ、過去のビルド時に生成されたファイルが原因で、カーネルの再ビルドがうまくいかないこともあります。その場合は、ソースツリーのトップディレクトリーで次のコマンドを実行します。これによって、過去のビルド時に生成されたファイルを削除できます。

```
$ make clean ↵
```

cleanターゲットのほか、「mrproper＊14」や「distclean」というターゲットも利用できます。mrproperは、cleanターゲットで削除できるファイルに加えて、ビルド設定ファイル(.config)や電子署名関連のファイルなども削除します。distcleanは、mrproperターゲットで削除できるファイルに加えて、ソースツリー内にあるファイル名末尾が「.orig」「.rej」「~」「.bak」などの（バックアップ用の）ファイルも削除します。

＊14　このターゲット名は「Mr.Proper」という洗剤の名前に由来します。

3-7 パッケージをビルドしてそれを使ってカーネルをインストールする方法

ソースツリーの「scripts/Makefile.package」ファイルには、「rpm」「deb」「snap」などの形式のパッケージでカーネルをビルドするためのターゲットが記述されています。ディストリビューション付属のカーネルのように、パッケージ管理システムを使ってインストールやアンインストールできるようにしたい場合には、こうしたパッケージ形式のカーネルが必要になります。

rpm形式のソース／バイナリーパッケージをビルドする場合は「rpm-pkg」、deb形式のソース／バイナリーパッケージをビルドする場合は「deb-pkg」、snap形式のバイナリーパッケージをビルドする場合は「snap-pkg」を使用します。

ただし、これらのターゲットを使用する場合は、それぞれのパッケージをビルドするのに必要なソフトウエアを追加インストールする必要があります。

Ubuntu 20.04 LTSでdebパッケージ、CentOS 8でrpmパッケージをビルドする場合は、3-2節で紹介した手順でソフトウエアを導入していれば追加インストールの必要はありません。ソースアーカイブを展開してビルド設定を施した上で、次のコマンドをソースツリーのトップディレクトリーで実行すれば、debパッケージやrpmパッケージを生成できます。

■Ubuntu 20.04 LTSの場合

```
$ make deb-pkg ↵
```

■CentOS 8の場合

```
$ make rpm-pkg ↵
```

debパッケージは、ソースツリーのトップディレクトリーのさらに一階層上のディレクトリーに、rpmパッケージは、~/rpmbuild/RPMS/x86_64ディレクトリー以下（64ビットのx86アーキテクチャー向けの場合）に作成されます。

これらのパッケージを使ってカーネルをインストールする手順を、バージョン5.4.49のカーネルのパッケージを作成した場合を例に紹介します。Ubuntu 20.04 LTSとCentOS 8では、パッケージがあるディレクトリーで、それぞれ次のコマンドを実行します。

■Ubuntu 20.04 LTSの場合

```
$ sudo dpkg -i linux-image-5.4.49_5.4.49-1_amd64.deb ↵
```

■CentOS 8の場合

```
$ su ↵
# rpm -i kernel-5.4.49-1.x86_64.rpm ↵
# exit ↵
```

ヘッダーファイルのパッケージは、不用意にインストールすると不具合が生じる恐れがあります。そのため、基本的にはインストールせずに、ディストリビューションにある既存のヘッダーファイルを使う方がよいでしょう[*15]。

*15 ただし、新規にインストールするカーネル向けにサードパーティー製のモジュールをビルドする場合や、カーネルの新しいAPIをアプリケーションで使用する場合には、ヘッダーファイルのパッケージもインストールする必要があります。

第4章

タスクスケジューラの仕組み

本章では、Linux カーネルのタスクスケジューラについて解説します。現在の Linux カーネルは、実行するタスクの種類に応じた複数のタスクスケジューラを備えています。本章では、その中の「CFS」（Completely Fair Scheduler）というタスクスケジューラの仕組みについて主に説明します。

4-1 タスクスケジューラとは何か

第1章で紹介した通り、Linuxカーネルは、CPUやCPUコアの数が一つであっても、複数のタスクを同時に稼働できます。これは、CPUで実行するタスクをカーネルが短い間隔で切り替えているからです。CPUやCPUコアの数が一つの場合、ある瞬間に稼働するタスクは一つなのですが、切り替え時間が短いために、あたかも複数のタスクが同時に稼働しているように感じられるわけです。

実行待ち状態のタスク群から、どのタスクをどのぐらいの期間、どのCPU（コア）で実行するかを管理するのが、カーネル内の「タスクスケジューラ」の役割です。

最も単純な仕組みのタスクスケジューラとしては、**図1**のような「ラウンドロビンスケジューリング」（Round-Robin Scheduling）をするものが考えられます。ラウンドロビンスケジューリングでは、実行待ち状態のタスクを待ち行列（キュー）に1列（線形）に並べておき、それらのタスクを一定時間（この時間を「タイムスライス」あるいは「（タイム）クオンタム」と呼びます）ごとに切り替えてCPUで実行します。そして、タイムスライスの間に終了しなかったタスクは、実行を中断してキューの末尾に移動させます。「ラウンドロビン」は、役割や機会を多くの人などで交代しあうことを意味する英単語です。

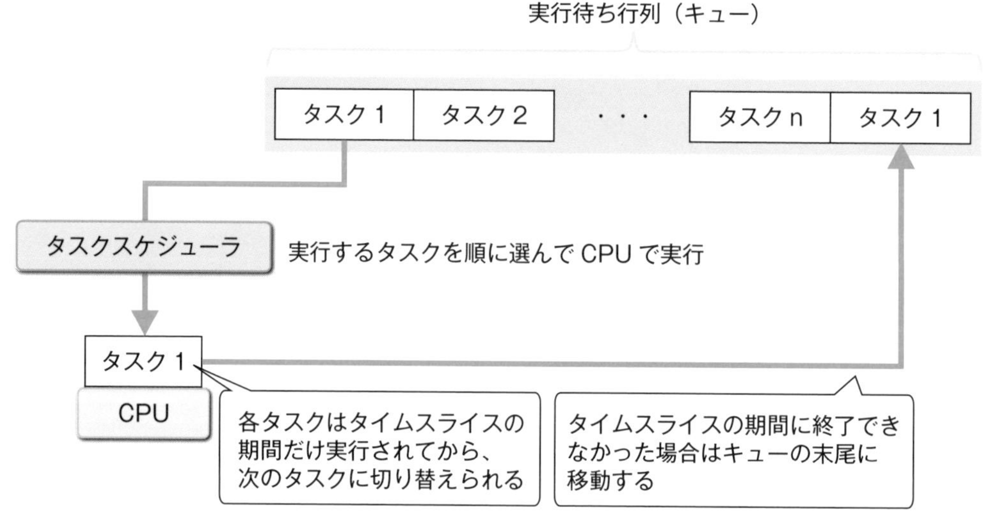

図1　ラウンドロビンスケジューリングをするタスクスケジューラ
実行待ち状態のタスクを線形の待ち行列に並べておき、それらのタスクを一定時間ごとに切り替えてCPUで実行します。

ラウンドロビンスケジューリングは、各タスクにタイムスライスを均等に割り当てるので、その側面からは公平なスケジューリングといえます。実装が単純で、スケジューリング動作が予測可能という利点があることから、組み込み機器用のOSなどでは現在も採用されることがあります[*1]。

しかしタスクの中には、科学技術計算タスクのようにCPUでの処理の割合が大きいものもあれば、対話型タスクのようにユーザーの入力待ち時間などが多く、CPUでの処理の割合が小さいものもあります。この両者に同じタイムスライスを割り当てた場合、前者はその期間中フルにCPUを使えますが、後者は実際には短い期間しかCPUを使えません。その側面からは非常に不公平なスケジューリングといえます。

また、シェルやエディタ、GUIインタフェースを備えたプログラムのような対話型のタスクは、ユーザーからの入力を素早く処理する必要があります。そうしないと、ユーザーが入力に対する応答性の悪さを体感してしまうからです。応答性を高めるには、CPUをフルに使うようなバッチ型タスクよりも長いタイムスライスを対話型のタスクに割り当てるといった工夫が必要になります。

さらに多くのOSでは、実行するタスクにユーザーが「実行優先度」を設定できます。そうしたOSのタスクスケジューラは、実行優先度を考慮したスケジューリングをする必要があります。単純なラウンドロビンスケジューリングでは、それは不可能です。

以下では、こうした課題をLinuxカーネルではどのように解決してきたのかについて解説します。

*1 現在のLinuxカーネルでも、この方式のタスクスケジューラは利用可能です。詳しくは後述します。

4-2 Linuxカーネルのタスクスケジューラの変遷

初期のLinuxカーネルは、各タスクに割り当てるタイムスライスを**nice値**＊に応じて設定する**図2**のようなスケジューリング方式を採用していました。

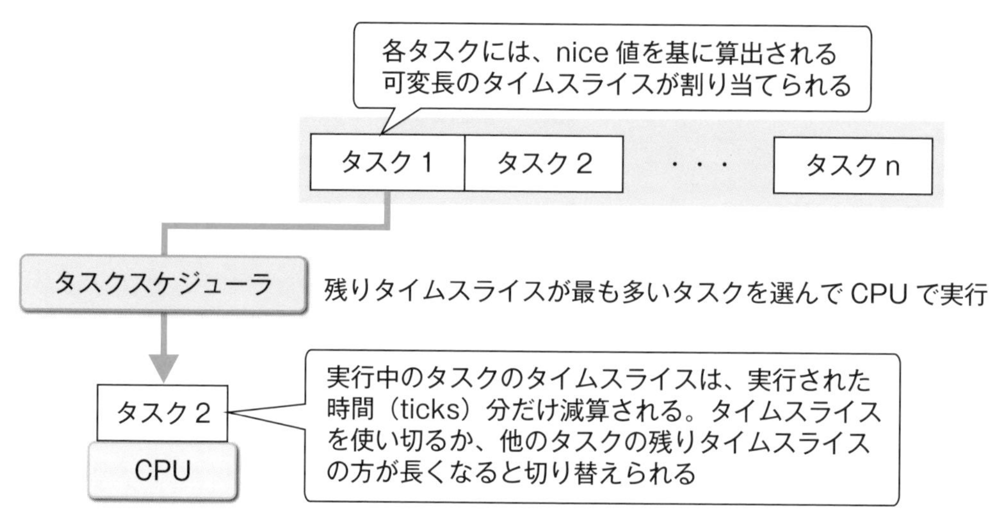

図2　初期のLinuxカーネルのタスクスケジューラ
各タスクに割り当てるタイムスライスをnice値に応じて設定し、残りタイムスライスが長いタスクを優先して実行します。

この方式では、まず、各タスクのタイムスライスをnice値に基づいて算出した上で、タスクをキューに並べます。**tick**＊の周期で呼び出されるスケジューラは、キュー全体を順に探査して、実行中というフラグ（TASK_RUNNING）が設定されているタスクの中から、残りタイムスライスが最も多いものを選択して実行します。実行したタスクのタイムスライスは、次のtickの開始時に1ずつ減じられます。

キュー内にタイムスライスが残っているTASK_RUNNINGフラグ付きタスクがなくなると、キュー内の全タスクのタイムスライスを**図3**のコードで再計算します。

```
while (1) {
        c = -1;
        next = 0;
        i = NR_TASKS;
```

```
        p = &task[NR_TASKS];
        while (--i) {
                if (!*--p)
                        continue;
                if ((*p)->state == TASK_RUNNING && (*p)->counter > c)
                        c = (*p)->counter, next = i;
        }
        if (c) break;
        for(p = &LAST_TASK ; p > &FIRST_TASK ; --p)
                if (*p)
                        (*p)->counter = ((*p)->counter >> 1) +
                                        (*p)->priority;
}
switch_to(next);
```

counter変数に格納されるタイムスライスの残り時間を2分の1した値と、priority変数に格納される「nice値×-1」の値を足した数値を次のタイムスライスとして設定している

図3　タイムスライスの再計算用のコード
バージョン0.0.1のカーネルの「kernel/sched.c」ファイルから抜粋した中核部分のコードです。青枠で示した箇所がタイムスライス再計算用のコードになります。

ユーザーの入力待ちやデバイスの入出力処理待ち中などで、タイムスライスが残った状態でTASK_RUNNINGフラグが外れたタスクの場合は、その残りタイムスライスの半分の値が再計算後のタイムスライスに加算されます。この処理によって、対話型タスクのタイムスライスを長くでき、応答性を高められます。

このスケジューラは、Linuxカーネルがマルチプロセッサ対応を進めるにつれて改良されていきますが、基本的な仕組みはそのままに、2003年にバージョン2.6のカーネルが登場するまで長い間使われていました。

O(1)スケジューラ

前述のタスクスケジューラは、実行するタスクが少ない場合にはうまく動作して

【nice値】niceコマンドなどでタスクに設定できる実行優先度。-20～19の範囲で設定でき、値が小さいほど優先度が高いことを意味します。
【tick】計時やタスクスケジューリングなどの処理をカーネルで実施するために定期的に発生させるタイマー割り込みの間隔のことです。

いました。しかしタスク数が非常に多くなると、次に実行するタスクを選び出す処理や、タイムスライスの再計算処理に時間がかかる問題がありました。どちらの処理でもキュー全体を線形探査する必要があるからです。

そこで、実行優先度ごとにキューを分割することで、次に実行するタスクを選び出す処理を高速に実施できる「O(1)スケジューラ」(Order One Scheduler) と呼ばれるタスクスケジューラが開発されました (**図4**)。このタスクスケジューラは、2003年にリリースされたバージョン2.6.0から、2007年にリリースされたバージョン2.6.22のカーネルまで使われました。

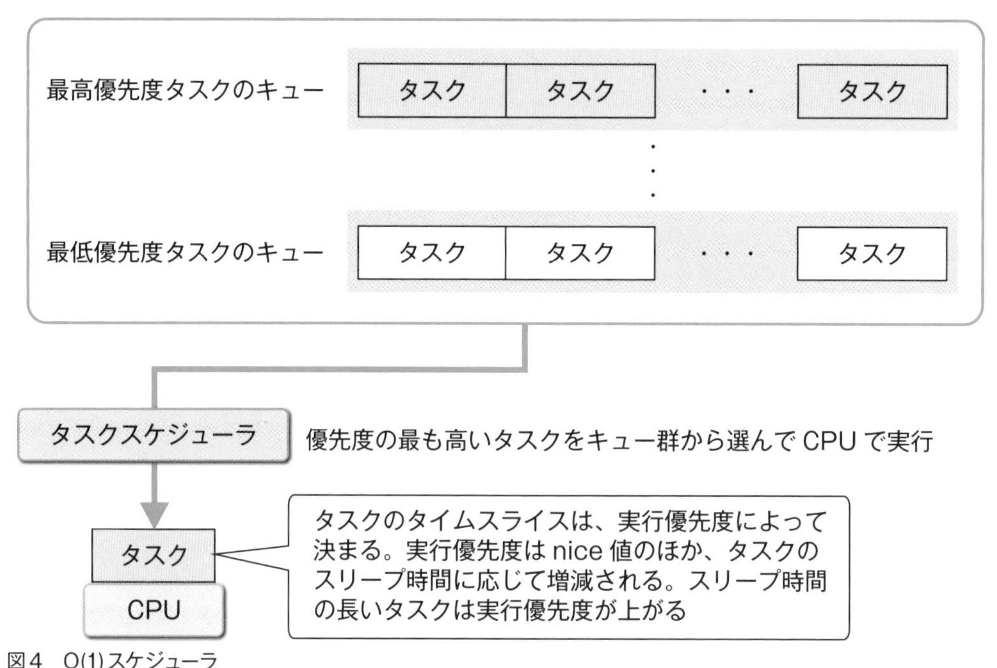

図4　O(1)スケジューラ
実行待ち状態のタスクを優先度別のキューに並べておき、それらのタスクを優先度順にCPUで実行します。タスクの優先度はスリープ時間に応じて変化します。

O(1)スケジューラでは、タイムスライスの長さはタスクの実行優先度によって決まります。タスクの実行優先度は、nice値と、タスクの**スリープ時間***によって算出されます。具体的には、nice値が小さいほど、スリープ時間が長いほど実行優先度は高くなります。スリープ時間を考慮することで、対話型タスクのタイムスライスを長くでき、応答性を高められます。

4-3 CFS (Completely Fair Scheduler)

O(1)スケジューラはタスク数が非常に多い場合にもうまく動作するスケジューラでしたが、問題もありました。大きな問題は、対話型タスクに実行優先度ボーナスを与えるための処理がやや複雑で、しかも理論的というよりは経験的なものだったことです。

そこで、「各タスクが実際にCPUで実行される時間を均一にする」ことをポリシーに掲げる「CFS」(Completely Fair Scheduler) という新しいタスクスケジューラが開発されました (**図5**)。CFSは、2007年にリリースされたバージョン2.6.23以降のカーネルで使われています。

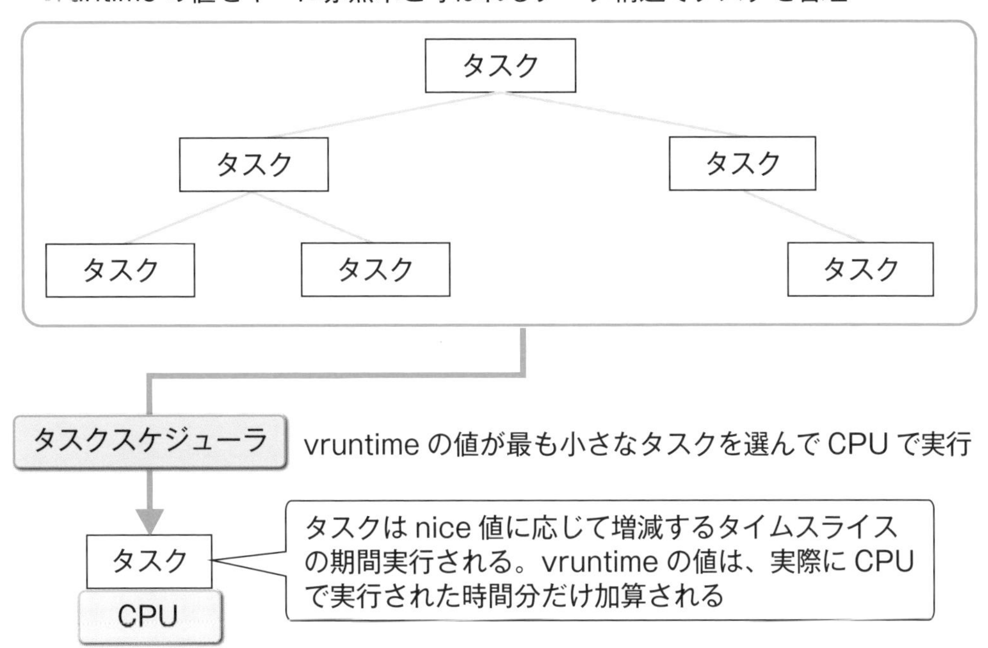

図5 CFS (Completely Fair Scheduler)
タスクが実際にCPUで実行された時間の累計をvruntimeという変数に格納し、vruntimeの値が小さいタスクを優先的に実行します。また、タスクは赤黒木というデータ構造で管理します。

CFSでは、各タスクが実際にCPUで実行された時間をナノ秒単位で計測して、そ

【スリープ時間】ここではタスクがCPUで実行されずに実行が待機あるいは中断されている状態だった時間を指します。

の累計を「vruntime」（virtual run time）という変数で管理します[*2]。そして、vruntimeの値が小さいタスクを優先的に実行します。この「まだCPUであまり実行できていないタスクを優先する」というシンプルで分かりやすい方針によって、公平性と対話型タスクに対する配慮を同時に実現できます。また、各タスクのタイムスライスは、nice値に応じて増減させます。これによって、実行優先度の設定にも対応できます。

さらにCFSは、従来のスケジューラとは異なり、実行待ちのタスクを線形のキュー（あるいはキューの集合）ではなく、vruntimeの値をキーにして**赤黒木（あかくろぎ）**[*]というデータ構造で管理します。赤黒木には、特定のキーのノードを高速に検索できるという特徴があります。これを使うことで、vruntimeが最小のタスクを高速に見つけ出すことができ、スケジューリング処理のオーバーヘッドが少なくなります。

各タスクの現在のvruntime値は、「/proc/タスクのプロセスID/sched」ファイルを調べると分かります（**図6**）。

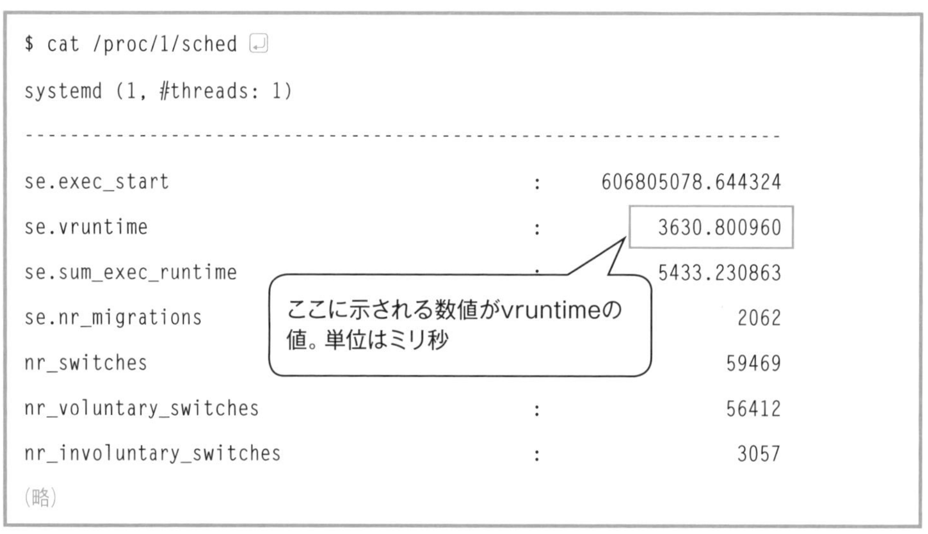

図6　タスクのvruntime値を調べる方法
図はプロセスIDが「1」のタスクのvruntimeを調べた様子です。

タイムスライスの算出方法

前述の通り、CFSでは各タスクに割り当てるタイムスライスが動的に変化します。タイムスライスは基本的に次の計算式で算出されます。

タイムスライス ＝ レイテンシー × タスクの重み ÷ キュー内の実行可能タスクの重みの合計

レイテンシーとは、キュー内の実行可能なすべてのタスクが最低1度はスケジューリングされて実行されることが保証される期間のことです。CFSでは、システム設定値（デフォルト値は7ミリ秒）をCPU数に合わせて調整した値が設定されます＊3。また、タスクの重みは「1.25」という定数を「nice値×-1」で累乗することで算出されます。

これによって、nice値が小さいタスクほど（つまり実行優先度が高いタスクほど）長いタイムスライスが割り当てられます。また、キュー内のタスク数が多い場合は（つまりシステム負荷が高い場合は）、タイムスライスが全体的に短くなります。これによって、タスクの応答性が低下することを防いでいます＊4。

シミュレーターで動作イメージをつかむ

CFSの基本動作を模して可視化する簡単なシミュレーターをPythonで作成しました（**図7**）。これを使って、CFSの動作イメージをつかんでみましょう。

```
%matplotlib inline
import matplotlib.pyplot as plt


max_time = 1000
latency = 200


tasks = 3
```

＊2　vruntimeには実際には、nice値を加味した値が格納されます。nice値が小さい（実行優先度が高い）場合はvruntimeの増加が少なくなるよう、nice値が大きい場合は増加が大きくなるように調整されます。また、vruntimeの値は、スリープから復帰した際などにリセットされます。そのため、増加するだけではなく減ることもあります。

【赤黒木】データ構造の一種です。ノードの探索や挿入、削除といった処理を最悪の場合でもO(log n)と比較的少ない計算量（つまり所要時間）で実施できます。平衡二分木の一種です。

＊3　CPU数に基づく調整をしない設定も可能です。

＊4　タイムスライスが短くなりすぎると、スケジューリングのオーバーヘッドが大きくなって効率が悪くなるため、最小値が設定されていて、それ以下にはならないようになっています。

```
task_nice =     [0, 0, 0]
task_cpuratio = [1, 1, 1]
task_vruntime = [0, 0, 0]

total_weight = 0
task_weight = []
for i in range(tasks):
    task_weight.append(1.25 ** (-task_nice[i]))
    total_weight += task_weight[i]

task_slice = []
for i in range(tasks):
    task_slice.append(latency * task_weight[i] / total_weight)

time = 0
task_selected = []
while time < max_time:
    cur_task = task_vruntime.index(min(task_vruntime))
    task_selected.append(cur_task)
    task_vruntime[cur_task] += task_slice[cur_task] * task_cpuratio[cur_task]
    time += task_slice[cur_task]

fig, ax = plt.subplots(figsize=(max_time/50,4))
ax.grid(axis='y')

i = 0;
for ctask in task_selected:
    ax.broken_barh([(i, task_slice[ctask])], (ctask*10+5, 5), facecolors='blue')
    i = i + task_slice[ctask]

ax.set_ylim(0, 35)
ax.set_xlim(0, 1000)
ax.set_xlabel('(ms)')
```

```
ax.set_yticks([7.5, 17.5, 27.5])
ax.set_yticklabels(['task1', 'task2','task3'])
plt.show()
```

図7　CFSの基本動作を模して可視化する簡単なシミュレーターのコード
Pythonのディストリビューションである「Anaconda」環境上のJupyter Notebookで動作します。

このプログラムは、Pythonのディストリビューションである「Anaconda」(https://www.anaconda.com/) 環境上の**Jupyter Notebook**＊で動作します。無償利用できる個人向けAnacondaのPython 3系列用のインストーラーを「https://www.anaconda.com/products/individual」というWebページを開いて、「Download」ボタンを押して入手し、それを実行してインストールしてください。インストーラーは、Windows、macOS、Linux向けのものが配布されています。

Anacondaのインストール後、端末で次のコマンドを実行すると、Webブラウザー上でJupyter Notebookが起動します。

```
$ jupyter-notebook ↵
```

起動後、「New」→「Python 3」をクリックして表示される画面で、図7のコードを入力してから「Run」ボタンをクリックすると、**図8**のようなグラフが表示されます。これは、nice値が「0」、CPU使用率が「1」(つまり100%)、vruntimeの初期値が「0」の三つのタスクがどのようにスケジューリングされるかを示したグラフです。均等にスケジューリングされることが分かります。

【Jupyter Notebook】複数のプログラミング言語に対応する、プログラムの対話的な実行環境を提供するツール。

■タスクに関する設定

```
task_nice      = [0, 0, 0]
task_cpuratio  = [1, 1, 1]
task_vruntime  = [0, 0, 0]
```

■実行結果

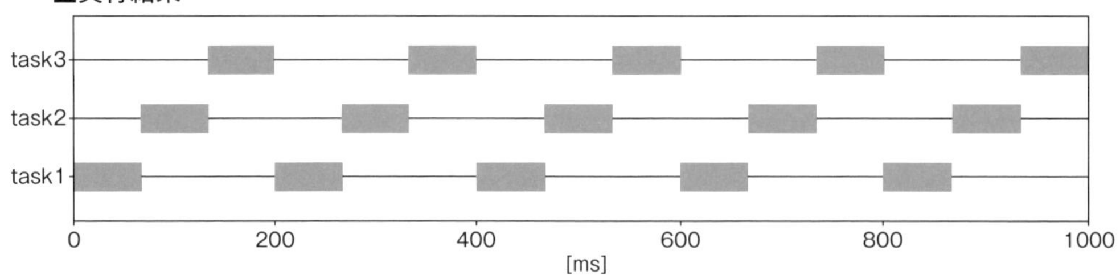

図8　シミュレーターの実行例
タスクの設定を初期状態のまま実行した例です。均等にスケジューリングされることが分かります。

なお、処理を簡単にするために、このシミュレーターでは各タスクはタイムスライスをフルに使用するものとしています。

task1のCPU使用率を「0.5」に下げてみましょう。それにはtask_cpuratioという配列の最初の要素を「0.5」にします。実行結果は**図9**のようになります。CPU使用率が低いタスクはvruntimeの増加量が少ないため、その分、実行される機会が多くなります。

■タスクに関する設定

```
task_nice      = [0,   0, 0]
task_cpuratio  = [0.5, 1, 1]
task_vruntime  = [0,   0, 0]
```

■実行結果

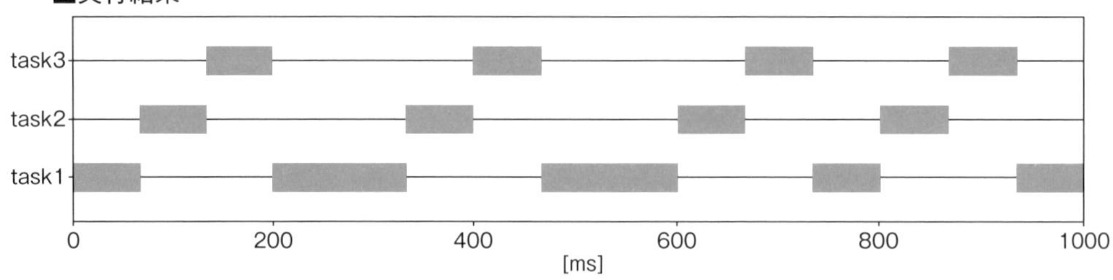

図9　CPU使用率を変更したシミュレーターの実行例
CPU使用率が低いタスクはvruntimeの増加量が少ないため、その分、実行される機会が多くなります。

次はtask2のnice値を「-2」にして、他のタスクよりも実行優先度を高くしてみましょう。それにはtask_niceという配列の2番目の要素を「-2」にします。実行結果は**図10**のようになります。実行優先度が高いタスクには、長いタイムスライスが割り当てられることが分かります。

■タスクに関する設定

```
task_nice     = [0,−2, 0]
task_cpuratio = [1,  1, 1]
task_vruntime = [0,  0, 0]
```

■実行結果

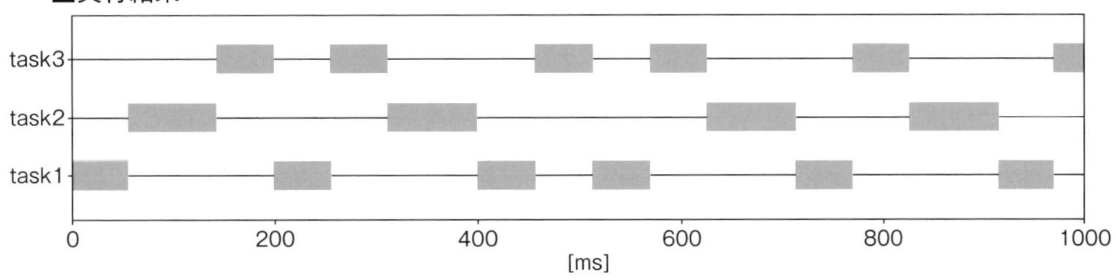

図10　nice値を変更したシミュレーターの実行例
実行優先度が高いタスクには、長いタイムスライスが割り当てられることが分かります。

4-4 スケジューリングクラスと複数のタスクスケジューラ

UNIX系OSの共通API規格では、タスクに「SCHED_FIFO」「SCHED_RR」「SCHED_OTHER」というスケジューリングポリシーを設定できます。Linuxもこれに対応しており、**表1**のような六つのスケジューリングポリシーを設定できます。

表1 Linuxで設定できるスケジューリングポリシー

名前	適用されるタスクの種類	説明
SCHED_BATCH	通常のタスク	低い実行優先度でタスクをスケジューリングする
SCHED_IDLE		最も低い実行優先度でタスクをスケジューリングする
SCHED_OTHER		ほとんどのタスクに適用される通常のスケジューリングポリシー
SCHED_DEADLINE	リアルタイムタスク	タスクの応答期限を設定できる
SCHED_FIFO		時分割処理をせずにキューにあるタスクを順に処理する
SCHED_RR		ラウンドロビンスケジューリングをする

SCHED_BATCH ／ SCHED_IDLE ／ SCHED_OTHERは、通常のタスクに適用されるスケジューリングポリシーです。これらはCFSで処理されます。

SCHED_BATCHとSCHED_IDLEは、非常に低い実行優先度でタスクをスケジューリングするポリシーです。SCHED_BATCHタスクは一般にほかのSCHED_OTHERタスクがすべて終了したあと、SCHED_IDLEタスクはほかのすべてのタスクが終了したあとに実行されます*5。

SCHED_OTHERは、ほとんどのタスクに適用される通常のスケジューリングポリシーです。なお、カーネル内部では「SCHED_NORMAL」という名前で取り扱われます。

SCHED_FIFO ／ SCHED_RR ／ SCHED_DEADLINEは、一定の応答速度で動作することが期待される「リアルタイムタスク」に適用されるスケジューリングポリシーです。これらは、CFSとは別のタスクスケジューラで処理されます。

SCHED_FIFOは、時分割処理をせずにキューにあるタスクを順に処理していくスケジューリングポリシーです。SCHED_RRは、4-1節で紹介したラウンドロビンスケジューリングをするポリシーです。この二つのスケジューリングポリシーのタスクは、nice値とは別にタスクに設定できる**静的実行優先度***によってスケジューリング順序を変更できます。

SCHED_DEADLINEは、タスクの応答期限を設定できるスケジューリングポリシーです。バージョン3.14のカーネルで追加された、比較的新しいスケジューリングポリシーです。

これらのスケジューリングポリシーを示す定数は、**図11**に示す通り「include/uapi/sched.h」ファイルで定義されています＊6。

```
(略)
/*
 * Scheduling policies
 */
#define SCHED_NORMAL            0
#define SCHED_FIFO              1
#define SCHED_RR                2
#define SCHED_BATCH             3
/* SCHED_ISO: reserved but not implemented yet */
#define SCHED_IDLE              5
#define SCHED_DEADLINE          6
(略)
```

図11　スケジューリングポリシーを示す定数の定義
スケジューリングポリシーを示す定数は、「include/uapi/sched.h」ファイルで定義されています。

特定のスケジューリングポリシーでタスクを実行するには、chrtコマンドを次の書式で実行します。

```
$ chrt オプション 静的実行優先度 タスク実行用のコマンド ↵
```

オプションには**表2**のようなものが設定できます。なお、SCHED_BATCH／

＊5　ただし完全にこのように実装するとSCHED_IDLEタスクが実行されなくなる恐れがあるため、最低限度の実行機会は与えられます。

【静的実行優先度】1～99の範囲で設定できます。nice値とは異なり、値が大きいほど高い優先度を持ちます。

＊6　「/proc/タスクのプロセスID/sched」ファイル中の「policy」項目に表示される数値は、ここで定義されているスケジューリングポリシーを示す数値です。

SCHED_DEADLINE／SCHED_IDLE／SCHED_OTHERのタスクは、静的実行優先度を「0」に設定しなければなりません。また、リアルタイムタスクを起動する場合は、管理者権限でchrtコマンドを実行する必要があります＊7。

表2　chrtコマンドのオプションと適用されるスケジューリングポリシーの対応

オプション	適用されるスケジューリングポリシー
-b	SCHED_BATCH
-d	SCHED_DEADLINE
-f	SCHED_FIFO
-i	SCHED_IDLE
-o	SCHED_OTHER
-r	SCHED_RR

＊7　SCHED_DEADLINEタスクを起動する場合は、表2に挙げたオプションのほかのオプションも使ってパラメーターを設定する必要があります。詳しくはchrtコマンドのオンラインマニュアルを参照してください。

第5章

仮想メモリーを実現する仕組み

第１章で、仮想メモリーを実現する仕組みの概要を紹介しました。本章では、64 ビットの x86 プロセッサを例に、仮想メモリーを実現する仕組みやプロセスに割り当てられる仮想メモリーの構成（メモリーマップ）などについて、最近の Linux カーネルが備える機能を交えながらやや詳しく解説します。

5-1 64ビットのx86プロセッサのメモリーアドレス

Linuxカーネルは、大部分のCPUアーキテクチャーにおいて、各CPUのMMU（メモリー管理ユニット）が備える仮想メモリー対応機能を素直に使って、仮想メモリーを実現しています。64ビットのx86プロセッサについてもそれが当てはまります。

64ビットのx86プロセッサは、64ビットの数値でメモリーアドレス（以下、アドレス）を表現します。そのため、本来的には最大16E（エクサ）バイトのメモリーを利用できます。しかし、64ビットのx86プロセッサの仕様が発表された2000年はもちろん、2020年時点においても、この広大なアドレス空間をフルに使うことは現実的には考えられません。アドレス空間が無駄に広いと、処理速度やメモリー利用効率、製造費用などの面で不利になります。そこで、利用できるアドレスの範囲に制限を設けています。

64ビットのx86プロセッサでは、「リニアアドレス」「論理アドレス」「物理アドレス」の3種類のアドレスを利用できます。リニアアドレスとは、ページングによって実現される仮想メモリーに割り当てられるアドレスです。「仮想アドレス」と呼ばれることもあります。論理アドレスとは、セグメントという仕組みによって実現される仮想メモリーに割り当てられるアドレスです。（Linuxカーネルを含む）64ビットのプログラムではセグメントは実質的にほぼ使われないため、論理アドレスについては以後説明しません。物理アドレスとは、物理メモリーに割り当てられるアドレスです。

このうち物理アドレスについては、2020年時点では52ビットに制限されています。つまり最大4P（ペタ）バイトの物理メモリーを利用できます＊1。

リニアアドレスの範囲は、ページングで利用するページテーブルの段数によって異なります。1-5節で説明した通り、単一のページテーブルではサイズが大きくなり過ぎるため、多くのCPUではページテーブルを複数段に分割しています。64ビットのx86プロセッサでは、ページサイズが4Kバイトの場合、ページテーブルの段数は基本的に4段で、一部のCPUのみ5段に設定可能です＊2。4段だとリニアアドレスは48ビット、つまり仮想アドレス空間は256Tバイトになります。5段だとリニアアドレスは57ビット、つまり仮想アドレス空間は128Pバイトに拡張されます。

リニアアドレスについては、いずれの場合も、有効部分の最上位ビットの内容がそれより上位のビットにコピーされる仕組みになっています（**図1**）。

有効部分が48ビットのリニアアドレスの場合

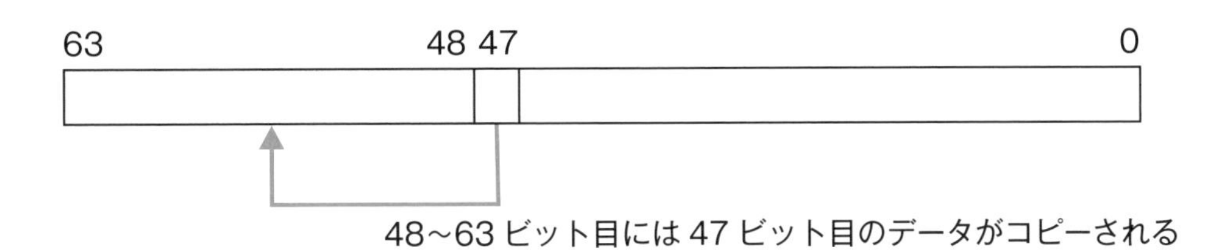

有効部分が57ビットのリニアアドレスの場合

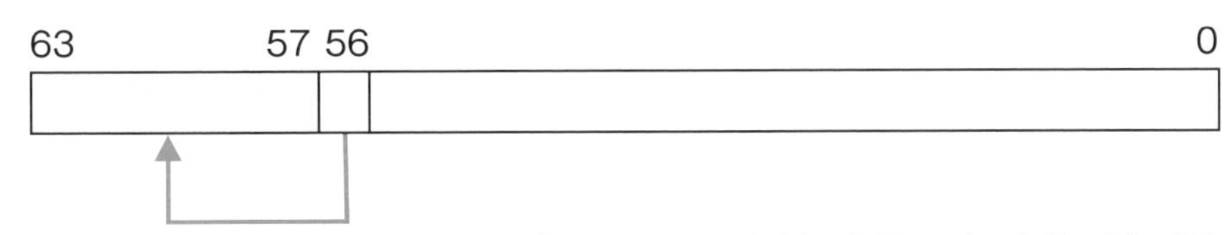

図1　64ビットのx86プロセッサのリニアアドレス

これによって、48ビットのリニアアドレスの場合は、利用できるメモリー領域が「0000000000000000」～「00007FFFFFFFFFFF」の128Tバイトの領域と、「FFFF800000000000」～「FFFFFFFFFFFFFFFF」の128Tバイトの領域に限定されます（**図2**）。

＊1　これはアーキテクチャー上の制限です。実際のCPU製品では、さらに40～48ビット（1Tバイト～256Tバイト）に制限されています。

＊2　Ice Lake以降のマイクロアーキテクチャーに対応するインテル製CPUの一部で設定可能です。

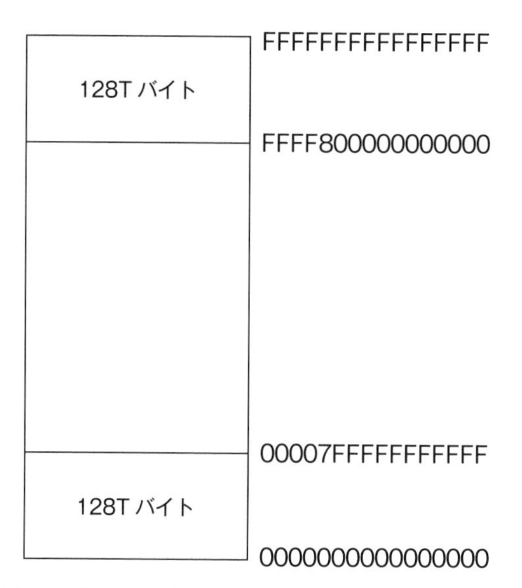

図2　48ビットのリニアアドレスで利用できる領域
利用できるメモリー領域は「0000000000000000」～「00007FFFFFFFFFFF」の128Tバイトの領域と、「FFFF800000000000」～「FFFFFFFFFFFFFFFF」の128Tバイトの領域です。

57ビットのリニアアドレスの場合は、利用できるメモリー領域が「0000000000000000」～「00FFFFFFFFFFFFFF」の64Pバイトの領域と、「FF00000000000000」～「FFFFFFFFFFFFFFFF」の64Pバイトの領域に限定されます（**図3**）。

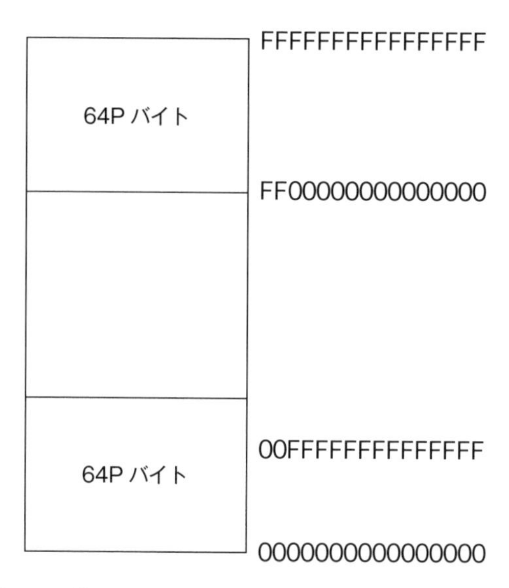

図3　57ビットのリニアアドレスで利用できる領域
利用できるメモリー領域は「0000000000000000」～「00FFFFFFFFFFFFFF」の64Pバイトの領域と、「FF00000000000000」～「FFFFFFFFFFFFFFFF」の64Pバイトの領域です。

どちらも中央部分が空く形になっています。このようにしているのは、将来的にリニアアドレスが64ビットなどに拡大された場合に、OSやアプリケーションに大きな変更を加えなくて済むようにするためです（**図4**）。

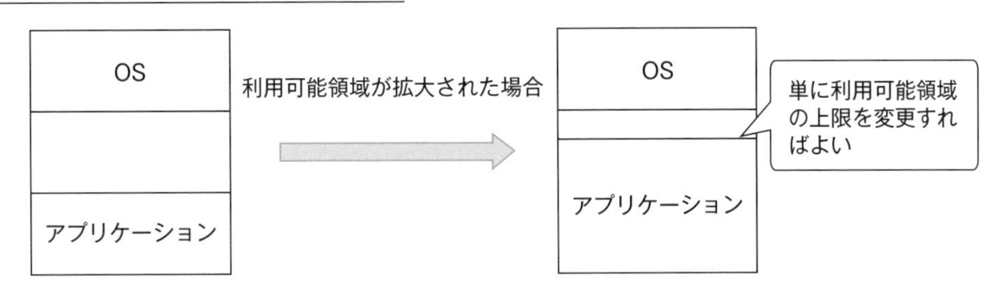

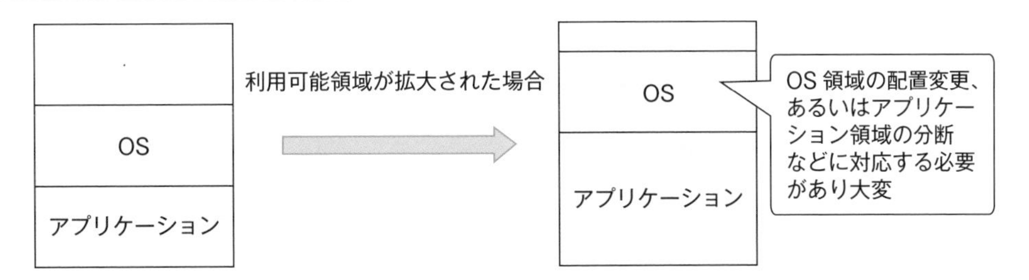

図4　中央部分を利用不可能領域にする理由

5-2 Linuxにおけるプロセスのメモリーマップ

前述の通りLinuxカーネルは、64ビットのx86プロセッサの仮想メモリー対応機能を素直に使っています。

各プロセスに対しては、リニアアドレスで表現される仮想メモリー空間をそのまま割り当て、分割された領域の前半をプロセス用（ユーザー用）、後半をカーネル用として利用します（**図5**）。前半部分には各プロセスで独立したデータを保持できますが、後半部分は全プロセスで共通のデータを保持することになります。

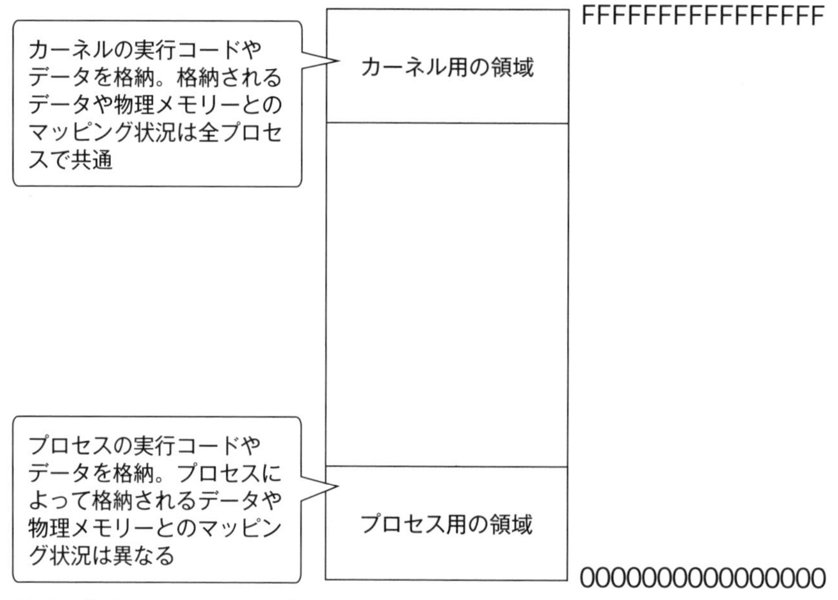

図5　プロセスのメモリーマップの概要
利用可能領域の前半をプロセス用（ユーザー用）、後半をカーネル用として使用します。

各プロセスの仮想メモリー空間にカーネル用の領域を割り当てるのは、処理速度向上のための工夫です。カーネル用の領域にはシステム管理上重要な情報が格納されますので、一部を除いてプロセスからはアクセスできないようになっています。

なお、セキュリティを強化するために、最近のLinuxカーネルでは、動作がカーネルモードに切り替わったときだけカーネル用の領域を割り当てる「PTI」（Page Table Isolation）という仕組みを採用しています。PTIについては、第6章で解説します。

全物理メモリーをカーネル用の領域内にマッピング

カーネル用の領域内には、すべての物理メモリーをストレートにマッピングする領域があります（**図6**）。ここで言う「ストレートにマッピングする」とは、連続する物理アドレスの物理メモリーをそのまま連続する仮想アドレスのメモリー領域に対応付けるという意味です。そのため、物理メモリーをストレートにマッピングする領域の仮想アドレスが例えばnという数値だとすると、物理アドレスがxの物理メモリーには、n+xという仮想アドレスでアクセスできます。

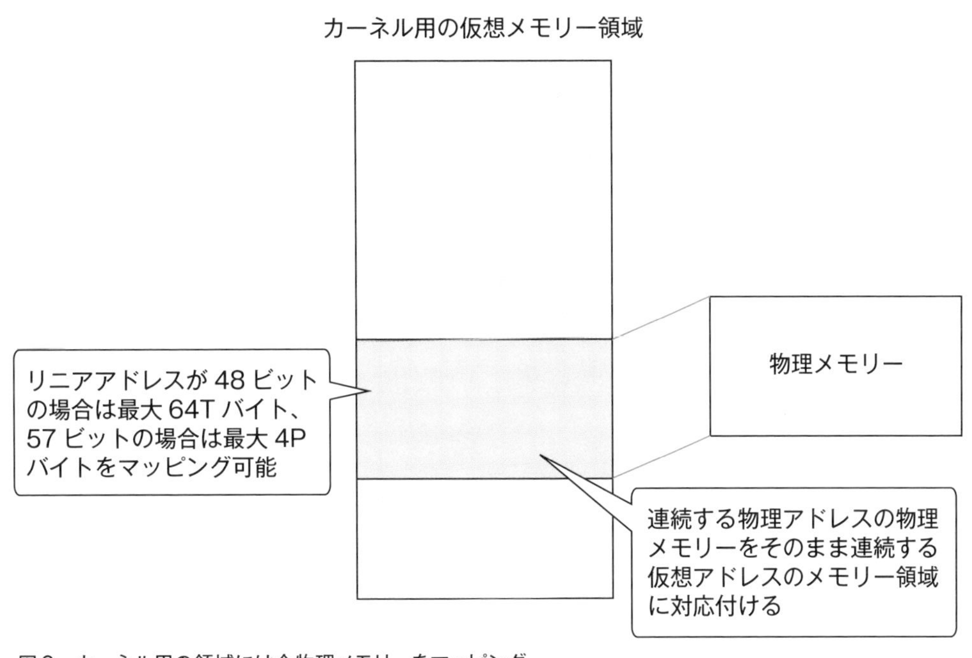

図6　カーネル用の領域には全物理メモリーをマッピング
カーネル用の領域内には、すべての物理メモリーをストレートにマッピングする領域があります。

すべての物理メモリーをカーネル用の領域にストレートにマッピングすることによって、物理メモリー管理処理を単純化できます。

リニアアドレスが57ビットの場合は、最大4Pバイトの物理メモリーをすべてそのままマッピングできるので問題ありません。しかし、リニアアドレスが48ビットの場合は、カーネル用の領域が128Tバイトしかありませんので、すべてをマッピングするのは不可能です。そこでLinuxカーネルでは、リニアアドレスが48ビットの場合は、利用できる物理メモリーの最大量を64Tバイト（物理アドレスの有効幅は46ビット）に制限しています。

物理メモリーの有効アドレス幅は、「arch/x86/include/asm/sparsemem.h」ファイルで定義されるMAX_PHYSMEM_BITSという定数で決まります（**図7**）。なお、バージョン5.8までのLinuxカーネルの同ファイルでは、MAX_PHYSADDR_BITSという定数も設定されていました。しかし、この定数は利用されていないことと、間違った値が設定されているという理由で、バージョン5.9以降では削除されることになっています。

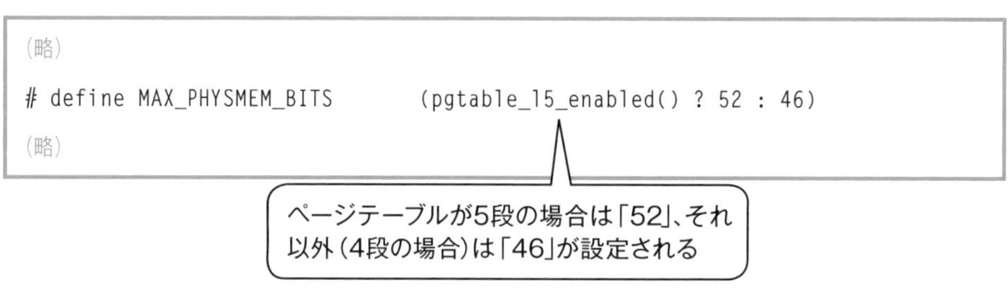

図7　物理メモリーの有効アドレス幅の定義

プロセスのメモリーマップを確認する方法

各プロセスの仮想アドレス空間がどのように利用されているのかを示す「メモリーマップ」情報の一部は、「/proc/プロセスID/maps」ファイルを調べると分かります。

例えば、プロセスIDが「1」のプロセスのメモリーマップを調べた例が**図8**です。これで分かる通り、同ファイルでは、基本的にカーネル用の領域を除いた（ユーザー用の）メモリー領域の利用状況のみを調べられます＊3。

```
$ sudo cat /proc/1/maps ↵
5555a3ac1000-5555a3c11000 r-xp 00000000 08:01 2491417     /lib/systemd/systemd
5555a3e10000-5555a3e4b000 r--p 0014f000 08:01 2491417     /lib/systemd/systemd
5555a3e4b000-5555a3e4c000 rw-p 0018a000 08:01 2491417     /lib/systemd/systemd
5555a3e4c000-5555a400e000 rw-p 00000000 00:00 0           [heap]
（略）
7fb3905f6000-7fb3905f8000 rw-p 00000000 00:00 0
7fb3905f8000-7fb3907df000 r-xp 00000000 08:01 2492014     /lib/x86_64-linux-gnu/libc-2.27.so
7fb3907df000-7fb3909df000 ---p 001e7000 08:01 2492014     /lib/x86_64-linux-gnu/libc-2.27.so
7fb3909df000-7fb3909e3000 r--p 001e7000 08:01 2492014     /lib/x86_64-linux-gnu/libc-2.27.so
```

```
7fb3909e3000-7fb3909e5000 rw-p 001eb000 08:01 2492014      /lib/x86_64-linux-gnu/libc-2.27.so
7fb3909e5000-7fb3909e9000 rw-p 00000000 00:00 0
7fb3909e9000-7fb390a10000 r-xp 00000000 08:01 2490814      /lib/x86_64-linux-gnu/ld-2.27.so
7fb390be1000-7fb390bf1000 rw-p 00000000 00:00 0
7fb390c10000-7fb390c11000 r--p 00027000 08:01 2490814      /lib/x86_64-linux-gnu/ld-2.27.so
7fb390c11000-7fb390c12000 rw-p 00028000 08:01 2490814      /lib/x86_64-linux-gnu/ld-2.27.so
7fb390c12000-7fb390c13000 rw-p 00000000 00:00 0
7ffc3a902000-7ffc3a923000 rw-p 00000000 00:00 0            [stack]
7ffc3a9f2000-7ffc3a9f5000 r--p 00000000 00:00 0            [vvar]
7ffc3a9f5000-7ffc3a9f6000 r-xp 00000000 00:00 0            [vdso]
ffffffffff600000-ffffffffff601000 r-xp 00000000 00:00 0    [vsyscall]
```

仮想アドレス範囲　　利用状況

図8　プロセスIDが「1」のプロセスのメモリーマップを調べた例
ユーザー空間のメモリー領域の利用状況を調べられます。

ファイルの読み出しに使ったプロセス自身のメモリーマップを調べる場合には「/proc/self/maps」というファイルを利用できます。例えば、catコマンドを使って読み出した場合の結果は**図9**のようなものになります。

```
$ cat /proc/self/maps ↵
560cb9572000-560cb957a000 r-xp 00000000 08:01 10485785     /bin/cat
560cb9779000-560cb977a000 r--p 00007000 08:01 10485785     /bin/cat
560cb977a000-560cb977b000 rw-p 00008000 08:01 10485785     /bin/cat
560cb977b000-560cb979c000 rw-p 00000000 00:00 0            [heap]
7efd1f7c8000-7efd1fba6000 r--p 00000000 08:01 1447459      /usr/lib/locale/locale-archive
7efd1fba6000-7efd1fd8d000 r-xp 00000000 08:01 2492014      /lib/x86_64-linux-gnu/libc-2.27.so
7efd1fd8d000-7efd1ff8d000 ---p 001e7000 08:01 2492014      /lib/x86_64-linux-gnu/libc-2.27.so
7efd1ff8d000-7efd1ff91000 r--p 001e7000 08:01 2492014      /lib/x86_64-linux-gnu/libc-2.27.so
7efd1ff91000-7efd1ff93000 rw-p 001eb000 08:01 2492014      /lib/x86_64-linux-gnu/libc-2.27.so
7efd1ff93000-7efd1ff97000 rw-p 00000000 00:00 0
```

＊3　カーネル用の領域にある「vsyscall」領域の情報も調べられます。vsyscall領域は、システムコールの呼び出しを高速化する目的で利用されます。

```
7efd1ff97000-7efd1ffbe000 r-xp 00000000 08:01 2490814      /lib/x86_64-linux-gnu/ld-2.27.so
7efd2017b000-7efd2019f000 rw-p 00000000 00:00 0
7efd201be000-7efd201bf000 r--p 00027000 08:01 2490814      /lib/x86_64-linux-gnu/ld-2.27.so
7efd201bf000-7efd201c0000 rw-p 00028000 08:01 2490814      /lib/x86_64-linux-gnu/ld-2.27.so
7efd201c0000-7efd201c1000 rw-p 00000000 00:00 0
7ffdf30ec000-7ffdf310d000 rw-p 00000000 00:00 0            [stack]
7ffdf311c000-7ffdf311f000 r--p 00000000 00:00 0            [vvar]
7ffdf311f000-7ffdf3120000 r-xp 00000000 00:00 0            [vdso]
ffffffffff600000-ffffffffff601000 r-xp 00000000 00:00 0    [vsyscall]
```

図9　catコマンドのプロセスのメモリーマップを調べた例
「/proc/self/maps」というファイルを利用すると、同ファイルの読み出しに使ったプロセス自身のメモリーマップを調べられます。

このほか、「/proc/プロセスID/pagemap」ファイルを通じて、仮想ページと物理ページのマッピング状況を調べることもできます。このファイルは「CONFIG_PROC_PAGE_MONITOR=y」という設定でビルドしたカーネルを利用している場合に存在します。

同ファイルはバイナリー形式のファイルで、データを分かりやすく読み取るには別途ツールが必要です。カーネルのソースツリーの「tools/vm」ディレクトリーには、同ファイルのデータを読み込んで分かりやすく表示する「page-types」コマンドのソースコードが用意されています。同コマンドは、tools/vmディレクトリーでmakeコマンドを実行するとビルドできます。

page-typesコマンドで、例えばプロセスIDが「1」のプロセスのユーザー用の領域の仮想ページと物理ページのマッピング状況を調べるには、次のようにコマンドを実行します。

```
$ sudo ./page-types -p 1 -l ⏎
```

実行すると**図10**のように、物理ページが割り当てられている仮想ページ領域の「Voffset」「offset」「len」「flags」の情報が表示されます。Voffsetは仮想ページ領域の先頭の仮想ページ番号、offsetは物理ページ領域の先頭の**ページフレーム番号**＊（物理ページ番号）、lenは領域のサイズを示すページ数、flagsは領域に設定されている各種フラグ情報です。

```
$ sudo ./page-types -p 1 -l ↵
Voffset         offset  len    flags
5555a3ac1       1ffffa3 1      __RU_lA____M_______________________
5555a3ac2       1ffffaa 1      __RU_lA____M_______________________
5555a3ac3       207ff4a 1      __RU_lA____M_______________________
5555a3ac4       1ffffa9 1      __RU_lA____M_______________________
(略)
7ffc3a920       1f40093 1      ___U_lA____Ma_b____________________
7ffc3a921       1f76cce 1      ___U_lA____Ma_b____________________
7ffc3a922       1ffffad 1      __RU_lA____Ma_b____________________
7ffc3a9f5       23d4    1      __R________M_______________________
(略)
```

図10　page-typesコマンドの実行例
物理ページが割り当てられている仮想ページ領域の「Voffset」「offset」「len」「flags」の情報が表示されます。

フラグの意味については、コマンドの出力の末尾に表示されるサマリー情報の「long-symbolic-flags」項目（**図11**）を見ると分かります。各フラグの意味をもっと知りたい場合は、ソースツリーにある「Documentation/admin-guide/mm/pagemap.rst」という文書を読むとよいでしょう。

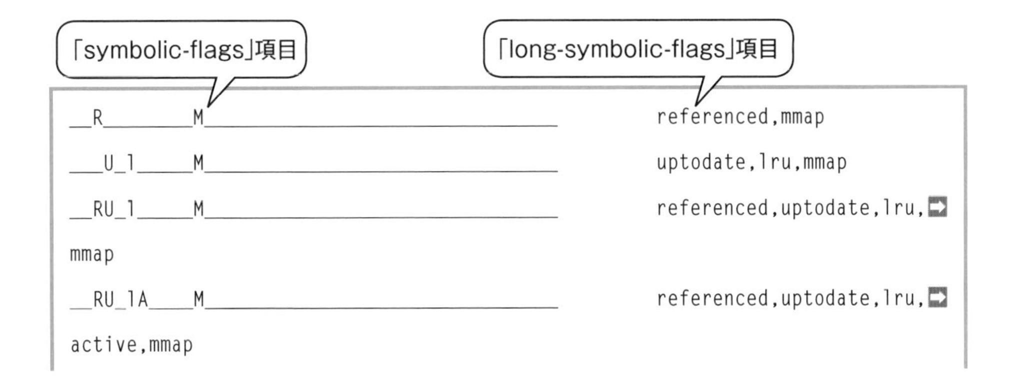

【ページフレーム番号】物理メモリーの構成単位のことを「ページフレーム」（あるいは単に「フレーム」）と呼びます。先頭のページフレームから付けた通し番号がページフレーム番号です。通常は、ページフレームと物理ページは同じとみなして構いません。

```
___U__A____Ma_b___________________________         uptodate,active,mmap,ano➡
nymous,swapbacked
___U_lA____Ma_b___________________________         uptodate,lru,active,mmap➡
,anonymous,swapbacked
__RU_lA____Ma_b___________________________         referenced,uptodate,lru,➡
active,mmap,anonymous,swapbacked
```

図11　page-typesコマンドのflags項目の情報の意味
コマンドの出力の末尾に表示されるサマリー情報の「long-symbolic-flags」項目を見ると分かります。

カーネル用のメモリー領域の利用状況を調べる方法

カーネル用のメモリー領域の利用状況を調べる場合は、「CONFIG_X86_PTDUMP=y」（もしくは「CONFIG_X86_PTDUMP=m」）という設定でカーネルをビルドします＊4。この設定は、debugfsという特殊なファイルシステムを通じてカーネル用のメモリー領域のマッピング状況をユーザーに通知するためのものです。

menuconfigターゲットを使ってカーネルのビルド設定をする場合は、「Kernel hacking」セクションにある「Export kernel pagetable layout to userspace via debugfs」という項目で設定できます。

ビルドしたカーネルでOSを起動し、次のような手順でdebugfsをマウントします＊5。ここでは「/debug」というマウントポイントを新たに作成し、そこにdebugfsをマウントしていますが、マウントポイントは任意のディレクトリーで構いません。

```
$ sudo mkdir /debug ↵
$ sudo mount -t debugfs none /debug ↵
```

マウント後、マウントポイントのディレクトリー（ここでは/debug）に管理者権限で移動すると、そこに「page_tables」というディレクトリーがあります。「CONFIG_X86_PTDUMP=m」という設定でカーネルをビルドした場合は、次のコマンドを実行することでpage_tablesディレクトリーが現れます。

```
$ sudo modprobe debug_pagetables ↵
```

page_tablesディレクトリー内に「kernel」というファイルがあります。このファイルにカーネル用のメモリー領域の利用状況の情報が格納されています（**図12**）。

```
$ sudo cat /debug/page_tables/kernel ↵
---[ User Space ]---
0x0000000000000000-0xffff800000000000    16777088T                                  pgd
---[ Kernel Space ]---
0xffff800000000000-0xffff880000000000          8T                                  pgd
---[ LDT remap ]---
0xffff880000000000-0xffff888000000000        512G                                  pgd
---[ Low Kernel Mapping ]---
0xffff888000000000-0xffff88800008c000        560K     RW                  GLB NX pte
0xffff88800008c000-0xffff88800008d000          4K     ro                  GLB NX pte
(略)
0xffff88a080000000-0xffff890000000000        382G                                  pud
0xffff890000000000-0xffffc90000000000         64T                                  pgd
---[ vmalloc() Area ]---
0xffffc90000000000-0xffffc90000004000         16K     RW                  GLB NX pte
0xffffc90000004000-0xffffc90000005000          4K                                  pte
(略)
---[ High Kernel Mapping ]---
0xffffffff80000000-0xffffffff81000000         16M                                  pmd
0xffffffff81000000-0xffffffff81e00000         14M     ro         PSE      GLB x  pmd
(略)
0xffffffff83000000-0xffffffff83200000          2M     RW         PSE      GLB NX pmd
0xffffffff83200000-0xffffffffa0000000        462M                                  pmd
---[ Modules ]---
0xffffffffa0000000-0xffffffffa0001000          4K     ro                  GLB x  pte
0xffffffffa0001000-0xffffffffa0002000          4K                                  pte
```

＊4　これらの設定は「CONFIG_DEBUG_KERNEL=y」と設定した場合のみに可能です。
＊5　ディストリビューションによっては既にdebugfsがマウント済みのものもあります。その場合は新規のマウント作業は不要です。

```
(略)
0xffffffffa0809000-0xffffffffa1800000       16348K                              pte
0xffffffffa1800000-0xffffffffff000000        1496M                              pmd
---[ End Modules ]---
0xffffffffff000000-0xffffffffff200000           2M                              pmd
0xffffffffff200000-0xffffffffff579000        3556K                              pte
(略)
```

図12　カーネル用のメモリー領域の利用状況を調べた例
「kernel」というファイルの内容を表示した例です。

図12の参照例では、「Low Kernel Mapping」エリアの末尾に「0xffff890000000000」というアドレスから始まる64Tバイトの領域があることが分かります＊6。ここに全物理メモリーがストレートにマッピングされます。つまり物理アドレスnの物理メモリーには、「FFFF890000000000＋n」という仮想アドレスでアクセスできます。

＊6　アドレスの冒頭の「0x」は16進数であることを示す表記です。

5-3 ページテーブルをたどって物理アドレスを算出

前述した通り、64ビットのx86プロセッサでは、基本的に4段のページテーブルを使ってリニアアドレスと物理アドレスを対応付けます。ページテーブルは、ページサイズが4Kバイトの場合、具体的には**図13**のような構成になります。最上位のページテーブルである「PML4」(Page Map Level 4) テーブルの位置は、「cr3」というレジスタに格納する40ビットのページフレーム番号で指定します。

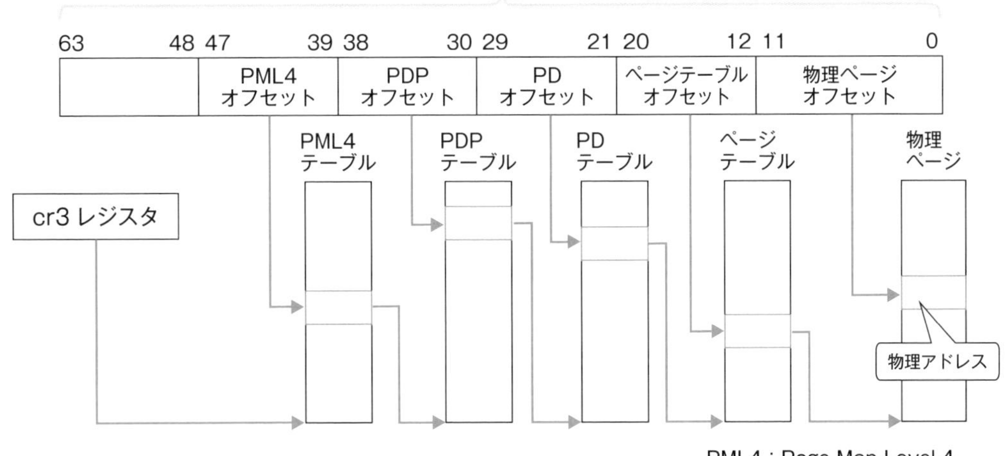

図13 4段の場合の64ビットのx86プロセッサのページテーブル
各ページテーブル内のエントリーは、次のページテーブル(または物理ページ)の先頭位置を示します。エントリーの位置は、仮想アドレスによって特定されます。

リニアアドレスの最上位(48ビット目)から下方に9ビットずつ四つに区切った各データが、各ページテーブルのエントリーがある位置(ページテーブル先頭からのオフセット)を示します。各ページテーブルのエントリーには、次のページテーブル(もしくは物理ページ)の位置を示す40ビットのページフレーム番号が格納されます。リニアアドレスの最下位12ビットのデータは、物理ページの先頭からのオフセットを示します。

5段のページテーブルを使う場合は、**図14**のような構成になります。この場合、cr3レジスタに格納するページフレーム番号は、「PML5」（Page Map Level 5）テーブルの位置を示します。また、リニアアドレスの最上位（57ビット目）からの9ビット分のデータが、PML5テーブル内のエントリーのオフセット位置を示します。そのほかは4段のページテーブルの場合と同じです。

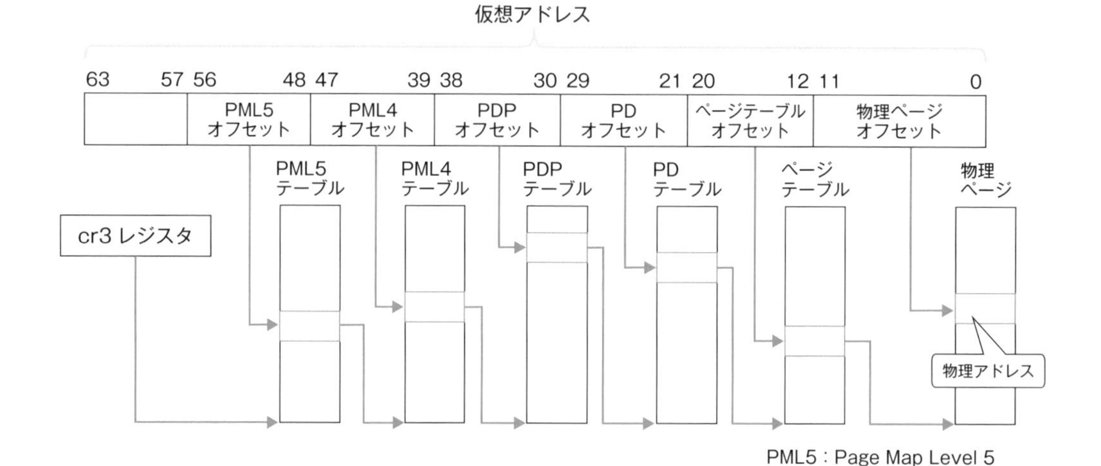

図14　5段の場合の64ビットのx86プロセッサのページテーブル
PML5という名前のテーブルが増え、cr3レジスタの値はそのテーブルの位置を示します。

Linuxカーネルでのページテーブルの取り扱い

Linuxカーネルでは、これらのページテーブルを4段の場合は**図15**のように取り扱います。

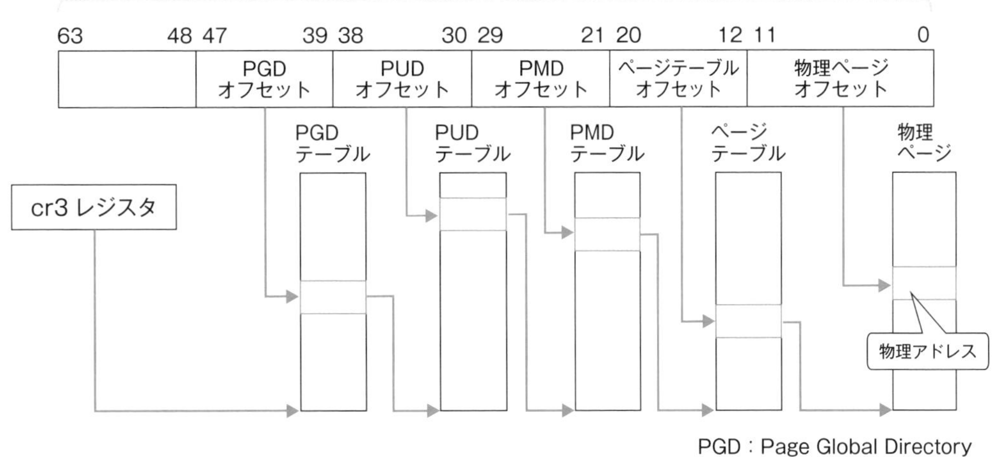

図15　4段の場合のLinuxカーネルにおけるページテーブル
P4Dというテーブルも存在しますが、実質的に使われていません。

一方、5段の場合は**図16**のように取り扱います。

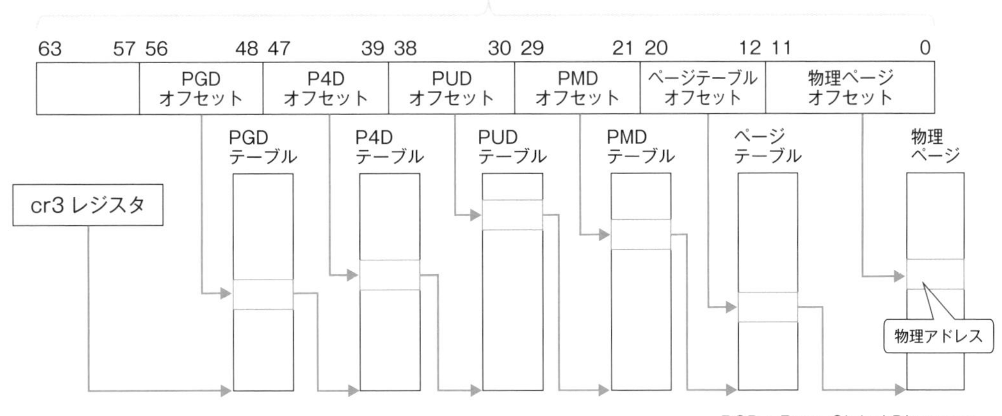

図16　5段の場合のLinuxカーネルのページテーブル
4段の場合とは異なり、P4Dという名前のテーブルが使われます。

ページテーブルの名前が違うことを除けば、基本的にはCPUの仕組みをそのまま利用していることが分かります。

「PGD」(Page Global Directory) テーブルの位置を示す情報は、各タスクの情報を格納するタスク構造体というデータ内にある、「mm->pgd＊7」というメンバー変数に格納されます。実行するタスクを切り替える場合は、このメンバー変数のデータをcr3レジスタにセットし、それによって仮想アドレス空間が切り替わります。

ただし、mm->pgdに格納されるのは、仮想アドレス（リニアアドレス）情報です。cr3レジスタに値をセットするときは、ページフレーム番号に変換する必要があります。

5段のページテーブルを利用するには、「CONFIG_X86_5LEVEL=y」という設定でカーネルをビルドする必要があります。さらにその上で、CPUが5段のページテーブルに対応していなければ、機能が有効になりません。CPUが5段のページテーブルに対応しているかどうかは、「/proc/cpuinfo」ファイルのflags項目に「la57」という文字列があるかどうかで判断できます。あれば対応しています。

仮想アドレスを物理アドレスに変換

特定のプロセスIDのプロセスの仮想アドレスを、ページテーブルをたどって物理アドレスに変換して表示する「pagetable」というモジュールを作成しました。

pagetableモジュールは、任意の作業ディレクトリーを用意し、その中に**図17**と**図18**で示す二つのファイルを作成してから、その作業ディレクトリーでmakeコマンドを実行するとビルドできます＊8。

```
KDIR=/lib/modules/$(shell uname -r)/build
obj-m += pagetable.o
all:
	make -C $(KDIR) M=$(PWD) modules
clean:
	make -C $(KDIR) M=$(PWD) clean
```

4行目と6行目の字下げは[Tab]キーを使う

図17 「pagetable」モジュールを作成するためのファイル（その1）
任意の作業ディレクトリーを用意し、その中にこの内容を持つ「Makefile」というファイルを作成します。

```
#include <linux/kernel.h>
#include <linux/init.h>
#include <linux/module.h>
#include <linux/sched.h>
#include <asm/pgtable.h>

static unsigned int processid = 1;
module_param(processid, uint, 0);
static unsigned long addr = 0;
module_param(addr, ulong, 0);

static unsigned long get_pfndata(unsigned long entry) {
        entry &= 0x000FFFFFFFFFF000;
        return(entry >>= 12);
}
static int __init pagetable_init(void) {
        pgd_t *pgd;
        p4d_t *p4d;
        pud_t *pud;
        pmd_t *pmd;
        pte_t *pte;
        unsigned long paddr;
        struct pid *pid = find_get_pid(processid);
        struct task_struct *task = pid_task(pid, PIDTYPE_PID);
        struct mm_struct *mm = task->mm;
        if (pid == NULL) return 0;

        printk("mm->pgd   = %016lx¥n", (unsigned long)mm->pgd);
        printk("CR3       = %010lx¥n", get_pfndata(__pa(mm->pgd)));
        pgd = pgd_offset(mm, addr);
```

＊7　mm構造体のpgdメンバーを意味します。

＊8　モジュールをビルドするにはGCCやLinuxカーネルのヘッダーファイルなどが必要です。第3章で紹介した手順でカーネルのビルド環境を整え、カーネルをインストールしていれば、ほかの準備作業は不要です。

```
        if (pgd_none(*pgd) || pgd_bad(*pgd)) return 0;
        printk("PGD entry = %010lx¥n", get_pfndata(pgd_val(*pgd)));

        p4d = p4d_offset(pgd, addr);
        if (p4d_none(*p4d) || p4d_bad(*p4d)) return 0;
        printk("P4D entry = %010lx¥n", get_pfndata(p4d_val(*p4d)));

        pud = pud_offset(p4d, addr);
        if (pud_none(*pud) || pud_bad(*pud)) return 0;
        printk("PUD entry = %010lx¥n", get_pfndata(pud_val(*pud)));

        pmd = pmd_offset(pud, addr);
        if (pmd_none(*pmd) || pmd_bad(*pmd)) return 0;
        printk("PMD entry = %010lx¥n", get_pfndata(pmd_val(*pmd)));
        pud = pud_offset(p4d, addr);
        if (pud_none(*pud) || pud_bad(*pud)) return 0;
        printk("PUD entry = %010lx¥n", get_pfndata(pud_val(*pud)));

        pmd = pmd_offset(pud, addr);
        if (pmd_none(*pmd) || pmd_bad(*pmd)) return 0;
        printk("PMD entry = %010lx¥n", get_pfndata(pmd_val(*pmd)));

        pte = pte_offset_map(pmd, addr);
        if (pte_none(*pte)) return 0;
        paddr = pte_val(*pte);
        printk("PTE entry = %010lx¥n", get_pfndata(paddr));
        paddr = (paddr & 0x000FFFFFFFFFF000) | (addr & 0xFFF);
        printk("Phys addr = %016lx¥n", paddr);
        return 0;
}
static void __exit pagetable_exit(void) {
}
module_init(pagetable_init);
```

```
module_exit(pagetable_exit);
MODULE_AUTHOR("SUEYASU Taizo");
MODULE_DESCRIPTION("Slab test driver");
MODULE_LICENSE("GPL");
MODULE_PARM_DESC(processid, "PID (0 < processid < 2^22, default=1)");
MODULE_PARM_DESC(addr, "Virtual address, default=0");
```

図18 「pagetable」モジュールを作成するためのファイル（その2）
図17で作成した作業ディレクトリー内にこの内容を持つ「pagetable.c」というファイルを作成します。

ビルドしたpagetableモジュールは、次の手順でカーネルに組み込みます。

```
$ sudo insmod ./pagetable.ko processid=プロセスID addr=仮想アドレス ↵
```

仮想アドレスを16進数で指定する場合は、先頭に「0x」という文字列を付加してください。カーネル用の領域の仮想アドレスについても調べられます。

モジュールの組み込み後、dmesgコマンドを実行してカーネルバッファーを表示させると、**図19**のような情報が表示されます。

```
$ sudo insmod ./pagetable.ko processid=1 addr=0xffff889ff87e4000 ↵
$ dmesg ↵
（略）
[144347.038772] mm->pgd   = ffff889ff551f000
[144347.038774] CR3       = 0001ff551f
[144347.038776] PGD entry = 0000003001
[144347.038777] P4D entry = 0000003001
[144347.038778] PUD entry = 0001ff793e
[144347.038779] PMD entry = 0001fea2b0
[144347.038780] PTE entry = 0001ff87e4
[144347.038781] Phys addr = 0000001ff87e4000  ← 物理アドレス
```

図19 pagetableモジュールによるアドレス変換の例
モジュールの組み込み後、dmesgコマンドを実行してカーネルバッファーを表示させると、仮想アドレスに対応する物理アドレスなどが分かります。

表示される情報は、「mm->pgd」に設定されている仮想アドレス、cr3レジスタに設定されているPGDテーブルのページフレーム番号、各ページテーブルのエントリーに設定されている次のページテーブル（あるいは物理ページ）のページフレーム番号、そして物理アドレスです。なお、物理ページが割り当てられていない仮想アドレスを指定した場合のように、ページテーブルエントリーが不完全なケースでは、途中までの情報しか表示されません＊9。また、4段のページテーブルを使っている環境で実行した場合は、PGDテーブルのエントリーとP4Dテーブルのエントリーは同じ値になります。

別の仮想アドレスについても調べる場合は、次のコマンドを実行して、一度カーネルモジュールを取り外してください。

```
$ sudo rmmod pagetable ↵
```

＊9　すべての物理メモリーをストレートマップしている領域のように、4Kバイトよりも大きなページサイズでアドレス変換をしている領域でも正しい情報は表示されません。

第6章

コンテキストスイッチの仕組み

タスクスケジューラが実行するタスクを切り替える際には、タスクの実行状態（実行コンテキスト）を保存したり復元したりする「コンテキストスイッチ」と呼ばれる処理が発生します。本章では、コンテキストスイッチで実際にどのような処理が行われているのかについて解説します。また、ユーザーモードとカーネルモードの切り替えについても触れます。

6-1 コンテキストスイッチとは何か

第4章で紹介した通り、タスクスケジューラはタスクを次々と切り替えながら実行します。タスクスケジューラが実行するタスクを切り替える際には、タスクの実行状態（実行コンテキスト）を保存したり復元したりする「コンテキストスイッチ」と呼ばれる処理が発生します。

現在のタスクの実行を中断し、過去に実行を中断していたタスクを再実行するケースを考えてみましょう。その場合には、現在のタスクの実行コンテキストをどこかに保存した上で、再実行するタスクの実行コンテキストを復元する作業をしなければなりません。

実行コンテキストという言葉には、視点によってさまざまな捉え方があります。CPUのレベルで考えると、実行コンテキストは「タスク実行時のCPUのレジスタの状態」のことだといえます（**図1**）。

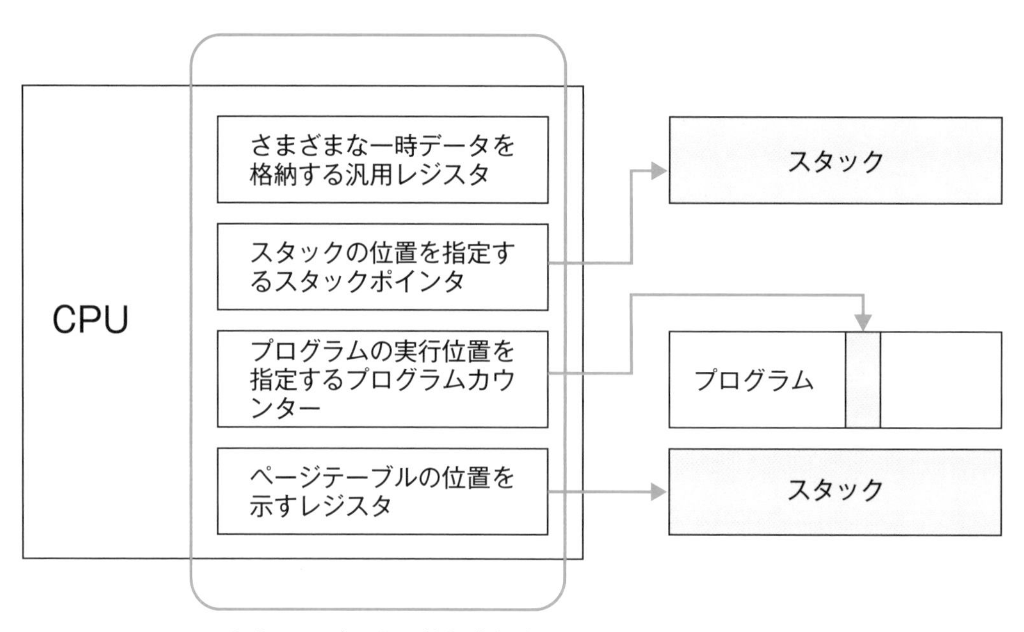

図1　実行コンテキストはCPUのレベルで見るとレジスタの状態
実行コンテキストには、視点によってさまざまな意味があり、CPUのレベルにおいては「タスク実行時のCPUのレジスタの状態」を指します。

例えば、第5章で紹介した通り、タスクに割り当てる仮想メモリーはcr3レジスタの値によって切り替えられます。つまり、コンテキストスイッチ処理の一つとしてcr3レジスタの値の保存や復元をすれば、仮想メモリーという実行コンテキストを切り替えられるわけです。

レジスタデータの保存先としては、タスクの管理データ領域（タスク構造体）や、**スタック***などのメモリー領域が考えられます。

【スタック】先入れ後出し方式でデータを格納できるメモリー領域。スタックの位置は、「スタックポインタ」と呼ばれる特殊なレジスタで指定されます。

6-2 Linuxカーネルのコンテキストスイッチ処理

実際にLinuxカーネルのコンテキストスイッチ処理を追いかけてみましょう。

タスクの切り替え処理は、「kernel/sched/core.c」ファイルで定義されている__schedule()関数を起点に実施されます（**図2**）。この関数では、pick_next_task()関数で次に実行するタスクを選択し、そのタスクと現在のタスクの実行コンテキストをcontext_switch()関数で切り替えます。

```
static void __sched notrace __schedule(bool preempt)
{
        struct task_struct *prev, *next;
        unsigned long *switch_count;
        struct rq_flags rf;
        struct rq *rq;
        int cpu;
(略)
        next = pick_next_task(rq, prev, &rf);
(略)
        if (likely(prev != next)) {
(略)
                rq = context_switch(rq, prev, next, &rf);
        } else {
                rq->clock_update_flags &= ~(RQCF_ACT_SKIP|RQCF_REQ_SKIP);
                rq_unlock_irq(rq, &rf);
        }

        balance_callback(rq);
}
```

ここで次に実行するタスクを選択

コンテキストスイッチ用の関数を呼び出す

図2　タスク切り替え処理の起点となる__schedule()関数のコード（抜粋）
同関数は「kernel/sched/core.c」ファイルで定義されます。

context_switch()関数も__schedule()関数と同じファイルで定義されています（**図**

3)。この関数では、まず仮想メモリー空間の切り替えが必要かどうかを調べて、通常のプロセス同士を切り替える場合のように仮想メモリー空間の切り替えが必要な場合には、switch_mm_irqs_off()関数を実行して、新しく実行するタスクのメモリーディスクリプター＊1内にある「pgd＊2」というメンバー変数の値をcr3レジスタにセットします。これによって仮想メモリー空間が切り替えられます。

```
context_switch(struct rq *rq, struct task_struct *prev,
               struct task_struct *next, struct rq_flags *rf)
{
（略）
        if (!next->mm) {                                // to kernel
（略）
                next->active_mm = prev->active_mm;
                if (prev->mm)                           // from user
                        mmgrab(prev->active_mm);
                else
                        prev->active_mm = NULL;
        } else {                                        // to user
（略）
                switch_mm_irqs_off(prev->active_mm, next->mm, next);

                if (!prev->mm) {                        // from kernel
                        /* will mmdrop() in finish_task_switch(). */
                        rq->prev_mm = prev->active_mm;
                        prev->active_mm = NULL;
                }
（略）
        }
（略）
        switch_to(prev, next, prev);
```


＊1 ここでは、タスクの管理用データであるタスク構造体に格納されているmm構造体のデータのことを指します。
＊2 第5章で紹介した「mm->pgd」と同じものです。

```
(略)

        return finish_task_switch(prev);

}
```

図3 context_switch()関数のコード(抜粋)
同関数も「kernel/sched/core.c」ファイルで定義されます。

なお、カーネルスレッドのようにカーネルモード(後述)で動作するタスクに動作を切り替える場合には、仮想メモリー空間の切り替えは不要です。そのため、そうした場合にはswitch_mm_irqs_off()関数は実行されません。

cr3レジスタ以外のレジスタについては、switch_to()関数を呼び出して処理します。

switch_to()関数の実体はマクロで、実際には「arch/x86/entry/entry_64.S」ファイルで定義される__switch_to_asm()関数が呼び出されます(**図4**)。

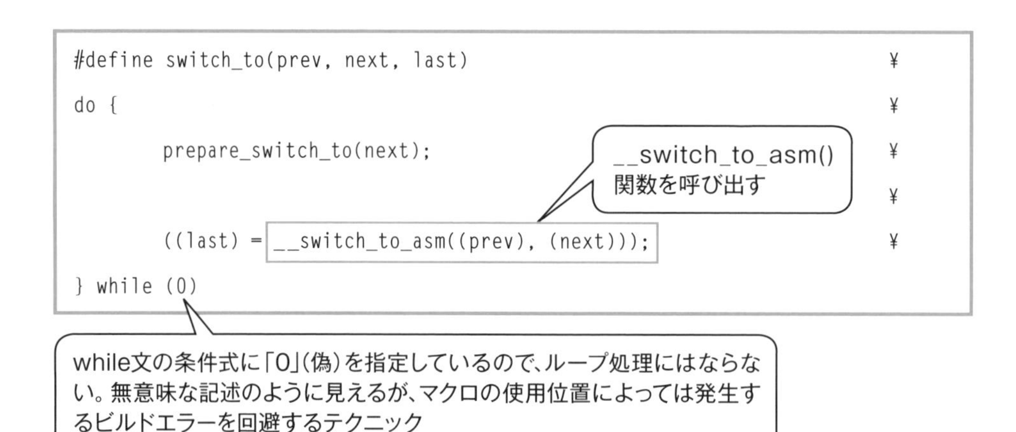

図4 switch_to()関数のコード
同関数の実体はマクロです。このマクロは「arch/x86/include/asm/switch_to.h」ファイルで定義されます。

__switch_to_asm()関数の処理

__switch_to_asm()関数の定義部分の主なコードは**図5**の通りです。アセンブリ言語で書かれているので少し分かりづらいですが、やっていることは単純です。

まずpushq命令で「rbp」「rbx」「r12」「r13」「r14」「r15」の各レジスタにある64ビットデータを、rspレジスタが指し示す、現在のタスク用のスタックに保存します。

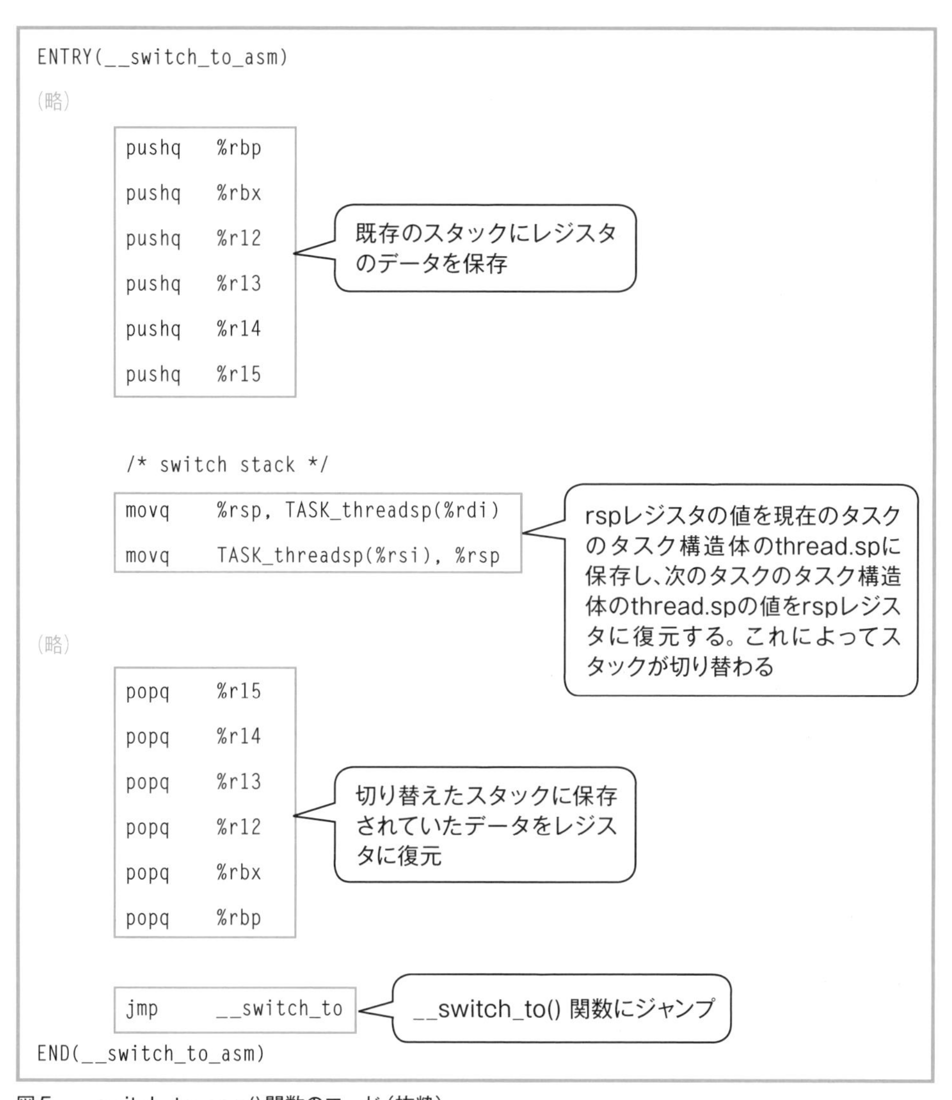

図5　__switch_to_asm()関数のコード（抜粋）
同関数は「arch/x86/entry/entry_64.S」ファイルで定義されます。

次にrspレジスタの64ビットデータを、movq命令で「TASK_threadsp(%rdi)」が指し示すメモリー位置にコピーしています。rdiレジスタには、関数の1番目の引数がセットされます。つまりここでは、これまで実行していたタスクのタスク構造体のアドレスがセットされています。TASK_threadspという文字列は、タスク構造体内にある「thread.sp」というメンバー変数のオフセット位置を示すものです[*3]。

＊3　「arch/x86/kernel/asm-offsets.c」ファイルで定義されています。実際のオフセット値はカーネルビルド時に生成される「arch/x86/kernel/asm-offsets.s」ファイルを見ると分かります。

これはつまり、スタック位置を指し示すrspレジスタの内容を、これまで実行していたタスク用のタスク構造体内の「thread.sp」というメンバー変数に退避させるためのコードです。

そして次のmovq命令では、「TASK_threadsp(%rsi)」が指し示すメモリー位置にある64ビットデータをrspレジスタにコピーしています。rsiレジスタには、関数の2番目の引数がセットされます。つまりここでは、新たに実行するタスクのタスク構造体のアドレスがセットされています。そのためこれは、新たに実行するタスク用のタスク構造体内の「thread.sp」というメンバー変数の値を、rspレジスタにセットするコードになります。

ここまでの処理でスタックが切り替わりました。切り替えたスタックには、過去に保存したレジスタのデータが格納されています。続くpopq命令では、スタックに保存されていた64ビットデータを「rbp」「rbx」「r12」「r13」「r14」「r15」レジスタに復元させています。

最後に、jmpという**ジャンプ命令***で__switch_to()関数に移動しています。後述するように、関数の呼び出しではなく、ジャンプ命令を使って移動している点がここではポイントになります。

__switch_to()関数からの復帰で新タスクが実行

__switch_to()関数は「arch/x86/kernel/process_64.c」ファイルで定義されています（**図6**）。この関数では、セグメント*4に関するレジスタや浮動小数点演算ユニット（FPU）のレジスタのデータの保存や復元などの処理を実施しています。

```
_visible __notrace_funcgraph struct task_struct *
__switch_to(struct task_struct *prev_p, struct task_struct *next_p)
{
（略）
        if (!test_thread_flag(TIF_NEED_FPU_LOAD))
                switch_fpu_prepare(prev_fpu, cpu);
（略）
        save_fsgs(prev_p);
（略）
```

FPUレジスタのデータを保存

セグメントレジスタ「fs」「gs」のデータを保存

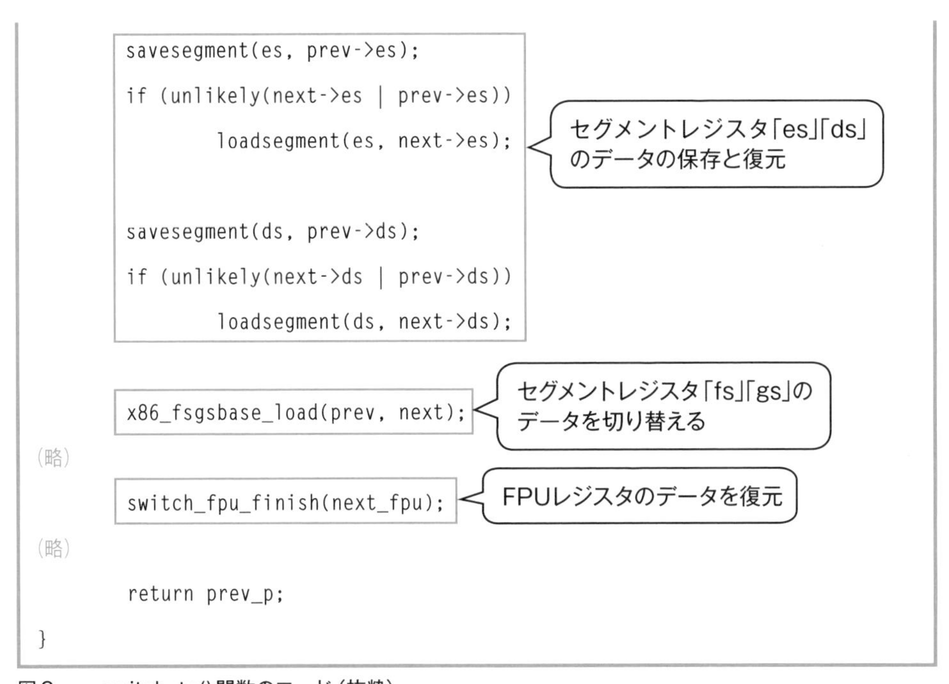
```
        savesegment(es, prev->es);
        if (unlikely(next->es | prev->es))
                loadsegment(es, next->es);

        savesegment(ds, prev->ds);
        if (unlikely(next->ds | prev->ds))
                loadsegment(ds, next->ds);

        x86_fsgsbase_load(prev, next);
(略)
        switch_fpu_finish(next_fpu);
(略)
        return prev_p;
}
```


図6　__switch_to()関数のコード（抜粋）
同関数は「arch/x86/kernel/process_64.c」ファイルで定義されます。

ここではこの関数の処理内容について細かくは説明しません。押さえておくべきポイントは、この関数の終了後に何が起きるのかについてです。

それを知るには、二つの事柄を理解する必要があります。

一つめは、__switch_to()関数は通常の呼び出し方法ではなく、ジャンプ命令を使って実行されていることです。通常の関数呼び出しでは、関数の実行終了後にどの位置からプログラムの実行を再開するかを示す「戻りアドレス」をスタックに格納しておき、関数の実行終了時にそれを取り出して復帰します。しかし前述の通り、__switch_to()関数はジャンプ命令で実行されているので、スタックにある戻りアドレスは、その前の__switch_to_asm()関数を呼び出した際の戻りアドレスになります。つまり、switch_to()関数内から処理が再開するわけです＊5。

もう一つの理解しておくべき事柄は、ここまでにスタックの切り替えを含めたコ

【ジャンプ命令】CPUはアドレスの順にコードを実行しますが、それを指定した場所から実行するように変更する命令。

＊4　第5章で紹介した通り、セグメントは仮想メモリーを実現する目的では使われていませんが、セキュリティ確保など他の目的では使われていますので、こうした処理が必要になります。

＊5　switch_to()関数はすぐに終了するので、実質的にはcontext_switch()関数内から処理が再開されます。

ンテキストスイッチ処理が終了していることです。そのため、__switch_to()関数が終了したあとは、新しく実行するタスクが過去にスタックに保存した戻りアドレスから処理が継続することになります＊6。またその時点で、CPUで実行されるタスクが切り替わることになります。

__switch_to()関数の終了時にタスクが切り替わるまでの処理の流れを、タスクAからタスクBに切り替える場合を例に**図7**にまとめました。

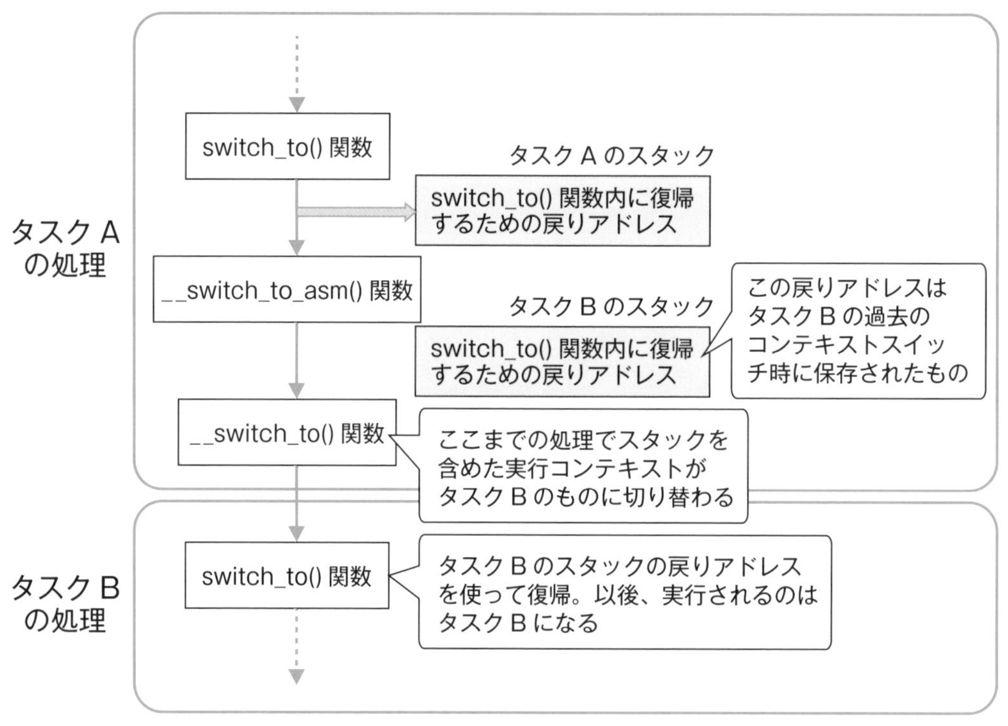

図7　__switch_to()関数の終了時にタスクが切り替わる
タスクAからタスクBに切り替える場合の処理の流れを単純化して示しています。

なお、厳密には切り替えの前後で実行されるのはユーザーモードで実行されるタスクAやタスクBそのもののコードではなく、各タスクに対応するカーネル内コードですが、単純化してこのように表現しています。

＊6　通常はswitch_to()関数内から処理が継続します。しかし、生成された直後で初めてスケジュールされるタスクの場合は、別の場所（ret_from_fork()関数）から処理が継続します。

6-3 コンテキストスイッチ処理でのレジスタ値の変化を確認

実際にレジスタのデータの保存や復元の処理がうまくいっていることを、ソースコードと対応付けながらLinuxカーネルを実行して確かめてみましょう。具体的には、「QEMU」というPCエミュレーターソフトの上でLinuxカーネルとシェルなどのタスクを動作させて、そのLinuxカーネルの動作を「GDB」(GNU Debugger) というデバッガーソフトで調べてみることにします。

準備に要する作業量が若干多いため、ここではUbuntu 20.04 LTSで作業することを前提に手順を紹介します。

カーネルデバッグ用の環境の準備手順

まず、QEMUとGDB、そしてシェルや基本コマンドの準備を簡単にする「BusyBox」というソフトウエアを次のコマンドで導入します。

```
$ sudo apt install qemu gdb busybox-static ↵
```

続いて、適当な作業ディレクトリーを作成し、そこに移動してから次のコマンドを実行します。これによって、ホームディレクトリーに「initramfs.img」という初期化用ディスクイメージが作成されます。

```
$ mkdir bin dev proc sbin sys ↵
$ cp /bin/busybox bin ↵
$ cd bin ↵
$ ln -s busybox sh ↵
$ ln -s busybox mount ↵
$ cd ../sbin ↵
$ cat <<EOF >init ↵
> #!/bin/sh ↵
> mount -t proc none /proc ↵
> mount -t sysfs none /sys ↵
```

```
> exec /bin/sh
> EOF
$ cd ../dev
$ sudo mknod console c 5 1
$ sudo mknod null c 1 3
$ cd ..
$ find . | cpio -o -H newc | gzip > ~/initramfs.img
```

続いて、QEMU上で動作させるLinuxカーネルをビルドします。ビルド手順は基本的に第3章で紹介したものと同じですが、「CONFIG_DEBUG_KERNEL=y」「CONFIG_DEBUG_INFO=y」「CONFIG_RELOCATABLE=n」と設定するようにします。これらの設定をすることで、ソースコードと対応付けた動作調査ができるようになります。

menuconfigターゲットを使ってビルド設定をする場合、CONFIG_DEBUG_KERNEL設定は「Kernel hacking」セクションの「Kernel debugging」項目、CONFIG_DEBUG_INFO設定は同セクションにある「Compile-time checks and compiler options」サブセクションの「Compile the kernel with debug info」項目、CONFIG_RELOCATABLE設定は「Processor type and features」セクションの「Build a relocatable kernel」項目で変更できます*7。

ほかのカーネル機能については、必要なものはモジュール化するのではなく、カーネルに組み込むように設定してください。本書で実施するテスト用であれば、defconfigターゲットでデフォルト設定にしてから、menuconfigターゲットで前述の設定を施せば、十分な設定ができます。

設定後、カーネルをビルドします。ビルドだけでモジュールのインストールやカーネルのインストール作業は不要です。

GDB用の設定ファイルの準備

カーネルのビルド後、ソースツリーのトップディレクトリーに**図8**の内容を持つ「gdbcom」という名前のファイルを作成します*8。このファイルはGDBで実行するコマンドをまとめたスクリプトファイルです。

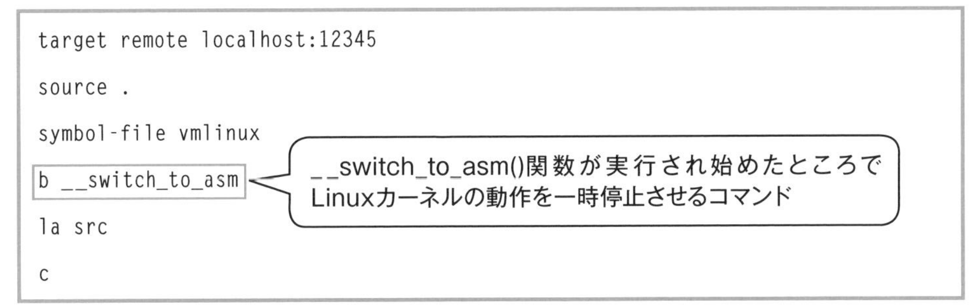

図8　作成するGDB用のスクリプトファイルの内容
ソースツリーのトップディレクトリーに「gdbcom」という名前で上記のファイルを作成します。

ポイントは「b」コマンドで指定している文字列です。「b」は「break」の略で、調査対象のプログラムの実行を一時停止させる場所（ブレークポイント）を指定するのに使うコマンドです。ここでは「__switch_to_asm」という文字列を指定しています。これによって、__switch_to_asm()関数が実行され始めたところでQEMU上のLinuxカーネルの動作が一時停止します。

Linuxカーネルと GDBの起動手順

準備ができたら、ソースツリーのトップディレクトリーで次のコマンドを実行してQEMU上でLinuxカーネルを動かします。

```
$ qemu-system-x86_64 -kernel arch/x86_64/boot/bzImage -initrd ~/ini
tramfs.img -append "console=ttyS0 rdinit=/sbin/init" -nographic -gd
b tcp::12345 -S ↵
```

続いて、別の端末エミュレーターなどを開いて、ソースツリーのトップディレクトリーに移動してください。そこで次のコマンドを実行するとGDBが起動します。

```
$ gdb -x gdbcom ↵
```

＊7　「Build a relocatable kernel」項目は、先に同じセクションにある「EFI runtime service support」項目を無効化しないと、無効化できません。
＊8　ファイルの名前は自由に付けて構いません。

GDBが起動して**図9**のように表示されればOKです。表示されない場合は、これまでの手順を見直してみてください。

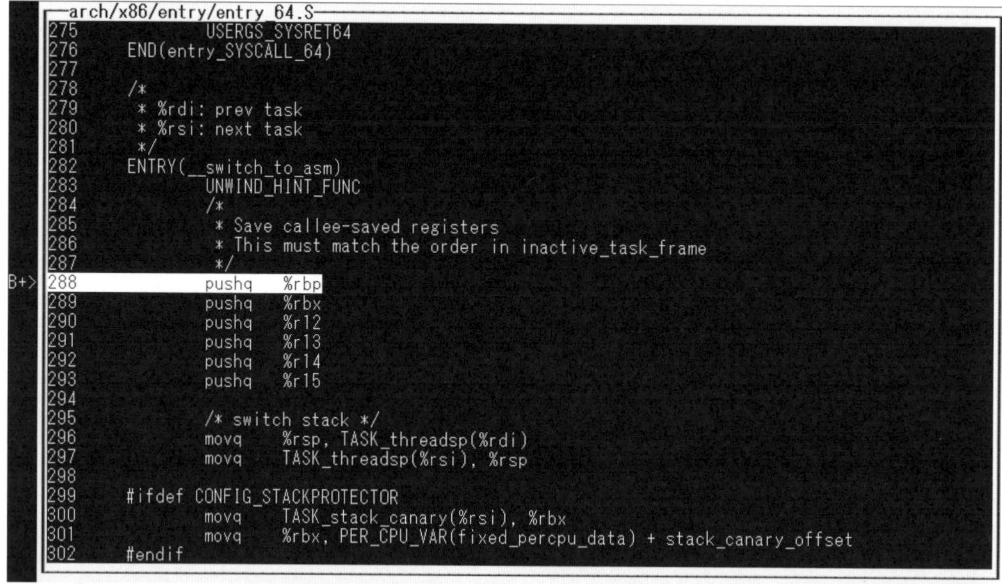

図9 GDBの実行画面
画面上部に、gdbcomファイルで指定したブレークポイント付近のソースコードが表示されます。ソースコードが記述されているファイルの名前と位置も分かります。

GDBの画面上部には、現在Linuxカーネルのどの部分が実行されているのかが分かるように、対応する箇所付近のソースコードが表示されます。反転表示されている行の直前までが実行され、反転表示されている行は実行されずに停止している状態になっています。

ステップ実行しながらレジスタとスタックの情報を表示

GDBの画面で［Enter］キーを押すと、画面下部に「(gdb)」というプロンプトが表示され、そこにコマンドを入力できるようになります。

まずは反転表示されている行を実行する「n」（または「next」）コマンドを実行してみましょう。

```
(gdb) n ↵
```

明るく反転している表示が次の行に移動したはずです。このように1行ずつ実行していくことを「ステップ実行」と呼びます。ステップ実行によって、プログラムの動作を細かく調べられます。

図10の(1)の範囲のコードをステップ実行してみましょう。これらのコードによって、「rbp」「rbx」「r12」「r13」「r14」「r15」というレジスタにある64ビットデータがスタックに保存されたはずです。

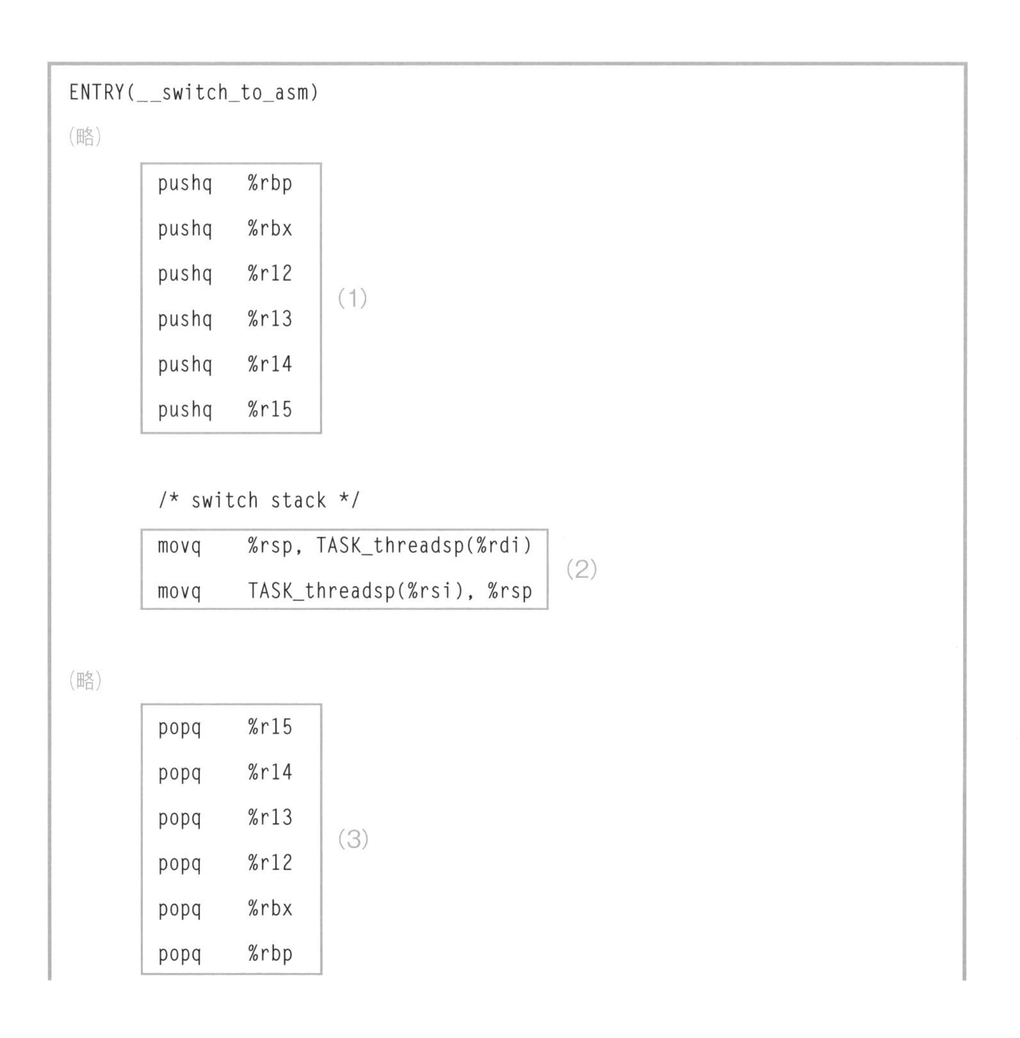

```
        jmp     __switch_to
END(__switch_to_asm)
```

図10　__switch_to_asm()関数のコード（抜粋）
（1）～（3）の部分のコードをステップ実行しながら調査していきます。

まずはこれらのレジスタの値を調べてみましょう。レジスタの値を調べるには「info registers レジスタ名」の形式でコマンドを実行します。レジスタ名は複数指定可能です。前述のレジスタの値をすべて調べるには、次のコマンドを実行します。

```
(gdb) info registers rbp rbx r12 r13 r14 r15 ⏎
```

実行結果は例えば**図11**のようになります。

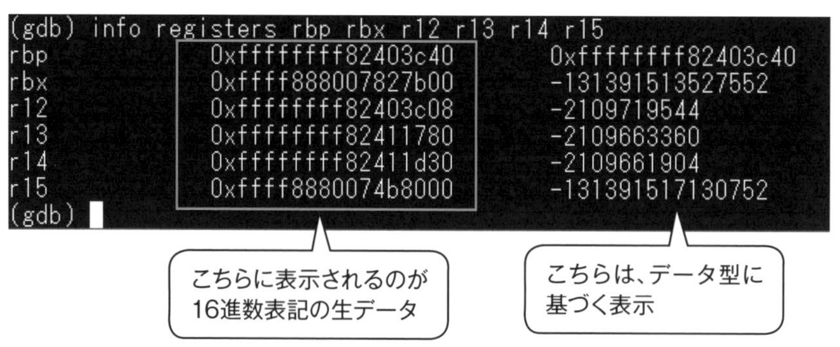

図11　図10の（1）のコード実行後にレジスタのデータを表示した例
レジスタの値を調べるには「info registers レジスタ名」の形式でコマンドを実行します。

次にスタックのデータを読み出してみます。先ほどの六つのレジスタのサイズは64ビットなので、スタックから64ビットのデータを六つ読み出すことになります。そのためのコマンドは次の通りです。

```
(gdb) x/6xg $rsp ⏎
```

先頭の「x」は指定したメモリー位置からデータを読み出すコマンドです。「/」は区切り文字で、次の「6」は読み出すデータの個数、「x」はデータを16進数で表示することを指示するオプション、「g」はデータのサイズが64ビットであることを指示するオプションです。実行結果は例えば**図12**のようになります。後にスタックに入れたデータから先に表示されますので、図11の表示順序とは逆になりますが、レジスタのデータがきちんとスタックに格納されていることが分かります。

この部分に表示されるのがデータ

```
(gdb) x/6xg $rsp
0xffffffff82403bc0:    0xffff8880074b8000      0xffffffff82411d30
0xffffffff82403bd0:    0xffffffff82411780      0xffffffff82403c08
0xffffffff82403be0:    0xffff888007827b00      0xffffffff82403c40
(gdb) 
```

図12　図10の（1）のコード実行後にスタックのデータを表示した例
スタックから64ビットのデータを六つ読み出すコマンドを実行した結果です。

さらにステップ実行を進めて、図10の(2)の範囲のコードを実行してみましょう。これらのコードによって、スタックが切り替えられます。次のコマンドを実行してデータを読み出してみましょう。

```
(gdb) x/6xg $rsp
```

実行結果は**図13**のようになります。スタックが切り替わっているため、図12とは表示されるデータが異なるはずです。

```
(gdb) x/6xg $rsp
0xffffc90000013f20:    0x0000000000000000      0x0000000000000000
0xffffc90000013f30:    0x0000000000000000      0x0000000000000000
0xffffc90000013f40:    0xffffffff81a78360      0x0000000000000000
(gdb) 
```

図13　図10の（2）のコード実行後にスタックのデータを表示した例
スタックが切り替わったため、図12とは違うデータが表示されます。

続いて図10の(3)の範囲のコードを実行してから、「rbp」「rbx」「r12」「r13」「r14」「r15」のデータを次のコマンドで表示してください。

```
(gdb) info registers rbp rbx r12 r13 r14 r15
```

実行結果は**図14**のようになります。スタックのデータがレジスタに復元されていることが分かります。

```
(gdb) info registers rbp rbx r12 r13 r14 r15
rbp            0x0      0x0 <fixed_percpu_data>
rbx            0xffffffff81a78360       -2119728288
r12            0x0      0
r13            0x0      0
r14            0x0      0
r15            0x0      0
(gdb) 
```

図14　図10の（3）のコード実行後にレジスタのデータを表示した例
図13で表示したスタックのデータと同じデータが表示されているのが分かります。

GDBとQEMUの終了手順

GDBは「q」（あるいは「quit」）コマンドを次のように実行すると終了できます。

```
(gdb) q ↵
```

QEMUは、［Ctrl］キーと［A］キーを同時に押したあと［X］キーを押すと終了できます。［Ctrl］キーと［A］キーを同時に押したあとに［C］キーを押してQEMUモニターに切り替え、そこで次のように「quit」コマンドを実行することでも終了できます。

```
(qemu) quit ↵
```

6-4 カーネルモードとユーザーモード

OSのカーネルは、システムのデータやハードウエアを管理する関係で、基本的にシステムのすべての資源にアクセスできなければなりません。また、ハードウエアの設定も自由に変更できる必要があります。

一方、ユーザーが実行するアプリケーションにそうした自由を与えると、システム破壊やほかのユーザーのデータを盗み見るなどのセキュリティ上の問題が生じます。そのため、アプリケーションがアクセスできる資源や可能な操作に制限を設ける必要があります。

こうした要求に対応するために多くのCPUは、カーネルの動作を想定した「カーネルモード」(「特権モード」などとも呼ぶ) と、ユーザーアプリケーションの動作を想定した「ユーザーモード」の二つの動作モードを備えています＊9。

Linuxカーネルもこの仕組みを利用しています。つまり通常のプロセスやスレッドはユーザーモードで動作し、カーネル内のコードはカーネルモードで動作するようになっています。第5章で、プロセスの仮想メモリー空間内にカーネルのコードやデータがマッピングされることを解説しましたが、そのカーネル用のメモリー領域は、ユーザーモードで動作するプログラムからは読み書きできないように保護されています (**図15**)。一方、カーネルモードで動作するプログラムは基本的にすべてのメモリー領域にアクセスできます。

＊9 CPUによってはもっと多くの動作モードを備えています。例えば、x86系プロセッサは基本的に四つの動作モードを備えています。

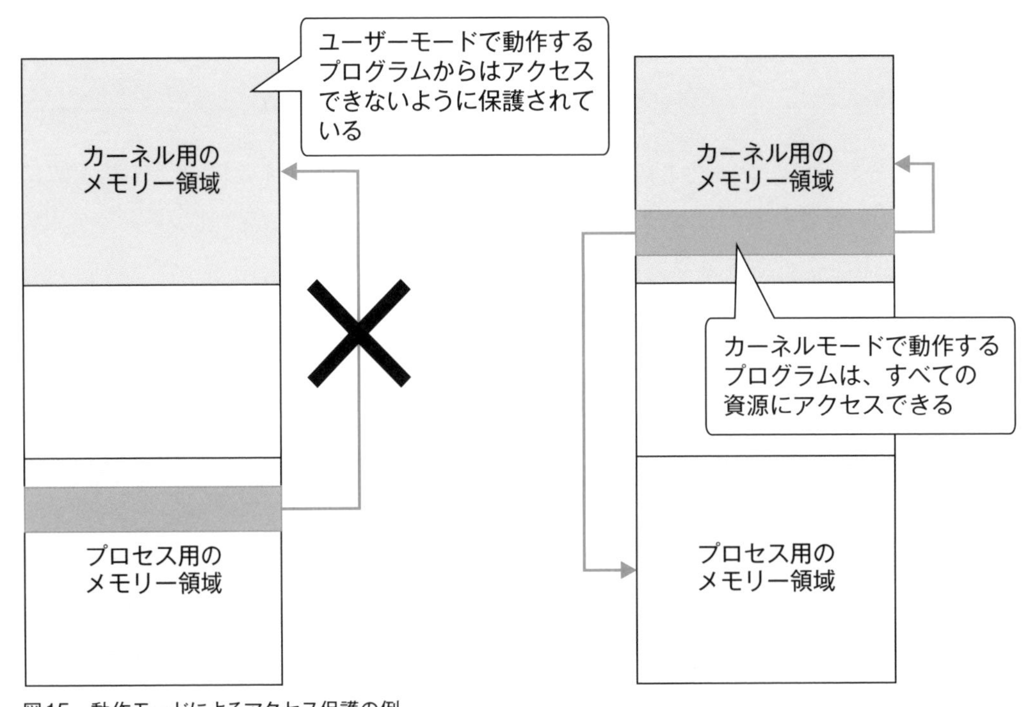

図15　動作モードによるアクセス保護の例
カーネル用のメモリー領域は、ユーザーモードのプログラムからは読み書きできません。逆にカーネルモードのプログラムはすべての領域にアクセスできます。

動作モードを切り替えるモード遷移は、さまざまなタイミングで生じます。例えば、プロセスがシステムコールを発行した際には、ユーザーモードからカーネルモードに切り替わります。そしてシステムコールの処理が終わると、再度、カーネルモードからユーザーモードに切り替わります。また、タスクスケジューラが、実行するプロセスを変更する場合には、ユーザーモード→カーネルモード→ユーザーモードというモード遷移が起こります。

カーネルモードで動作するコードの仮想メモリー

Linuxでは、OS起動時を除いて、カーネルモードで動作するコードは独立した仮想メモリー空間を持ちません。直前に実行されていたプロセスなどの仮想メモリー空間をそのまま利用することになっています（**図16**）。つまり、ユーザーモードからカーネルモードに遷移する際にはcr3レジスタに設定するPGDテーブルのページフレーム番号は基本的に変更されません。

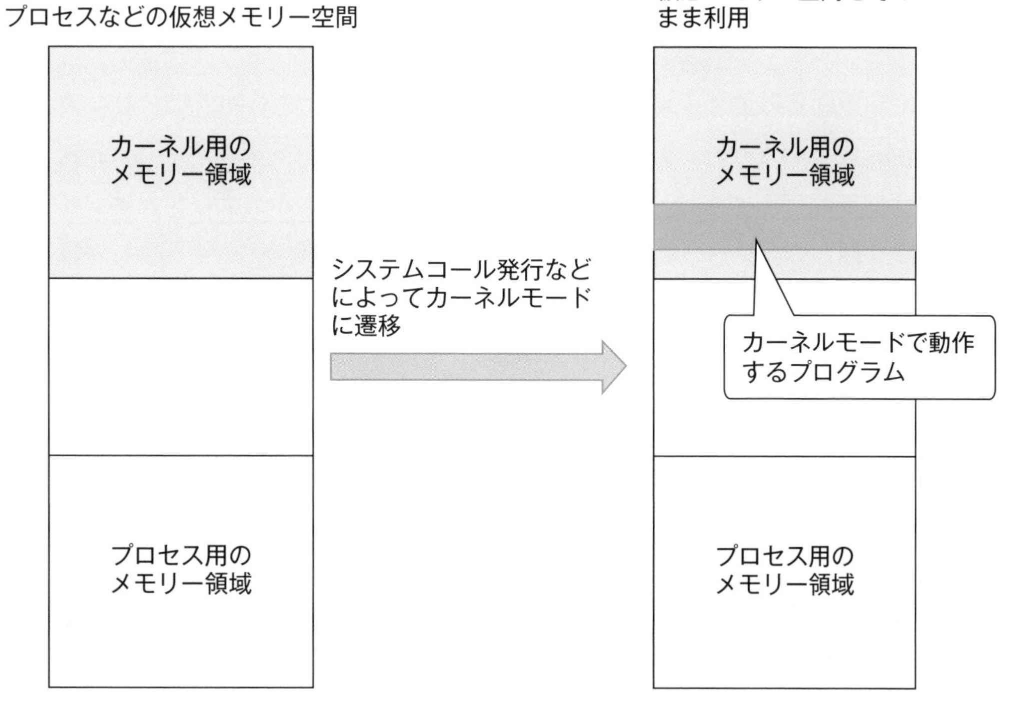

図16　カーネルモードで動作するコードは独立した仮想メモリー空間を持たない
直前に実行されていたプロセスなどの仮想メモリー空間をそのまま利用します。

そのようなことをして大丈夫かと心配になりますが、カーネルのコードやデータは、どのプロセスでも同じ仮想メモリー領域にマッピングされるので問題はありません。

このようにする理由は、モード遷移による性能低下を抑えるためです。cr3レジスタのデータを変更すると、ページテーブルを使ったアドレス変換処理を高速化するための「TLB」（Translation Lookaside Buffer）というキャッシュに蓄えられたデータが無効化してしまい、再度ページテーブルをたどらなければアドレス変換ができなくなります。そのため、できるだけcr3レジスタのデータは変更しない方が望ましいのです。

6-5 PTI(Page Table Isolation)

動作モードによってカーネル用のメモリー領域を保護する仕組みは、長い間、問題なく使われていました。しかし、近年見つかった「Meltdown」や「Spectre」などと呼ばれるCPUの脆弱性を悪用すると、動作モードによるアクセス保護の仕組みを迂（う）回して、カーネル用のメモリー領域のデータを読み出せる恐れがあることが分かりました。

そこでLinuxカーネルでは、2018年にリリースされたバージョン4.15から「PTI」（Page Table Isolation）という仕組みを導入して、既定でこれを有効化しています。

PTIを有効にしたカーネルでは、ユーザーモード時とカーネルモード時のメモリーマップを一部変更します（**図17**）。具体的には、ユーザーモード時の仮想メモリー空間にはカーネル用の領域をマッピングしません。カーネル用の領域は、カーネルモードに遷移した際にだけマッピングされます。このようにすることで、前述のようなCPUの脆弱性を悪用しても、アプリケーションからはカーネル用の領域のデータを読み出すのは困難になります。

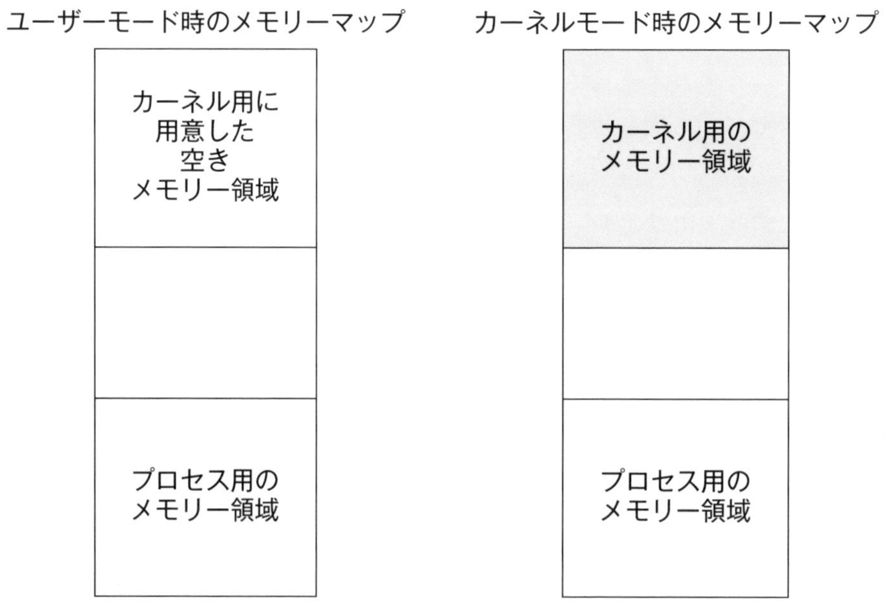

ユーザーモード時のメモリーマップ
カーネル用に
用意した
空き
メモリー領域
プロセス用の
メモリー領域
カーネルモード時のメモリーマップ
カーネル用の
メモリー領域
プロセス用の
メモリー領域

図17　PTI有効時のメモリーマップ
ユーザーモードのときにはカーネル用の領域をマッピングしません。カーネルモードの場合は、従来通りにマッピングされます。

メモリーマップの切り替えを実現するために、PTIを有効にしたカーネルでは、タスクの仮想メモリー用のPGDテーブルを二つ用意します。従来一つの物理ページ内にPGDテーブルを作成していたのに対し、PTIを有効にしたカーネルでは、二つの連続した物理ページにそれぞれ一つのPGDテーブルを作成します（**図18**）。そして最初の物理ページにあるPGDテーブルをカーネルモード用、次の物理ページにあるPGDテーブルをユーザーモード用として使用します。このようにすると、cr3レジスタのデータに「1」を加減算することで、カーネルモード用とユーザーモード用のPGDテーブルを切り替えられます。

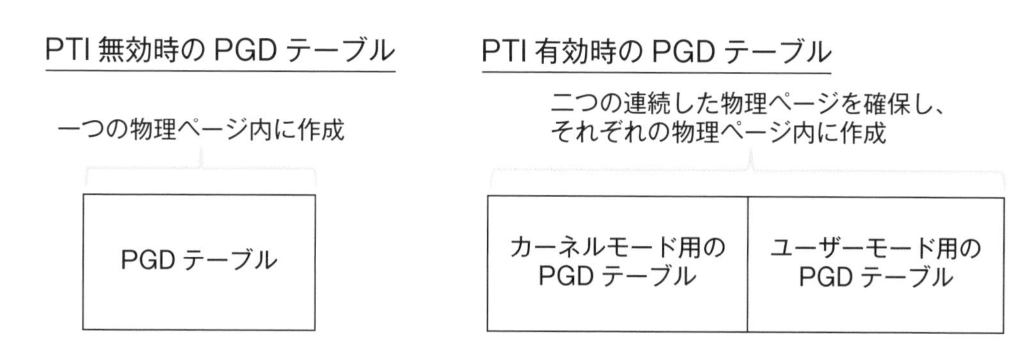

図18　PTI有効時にはPGDテーブルを二つ用意する
最初の物理ページにあるPGDテーブルをカーネルモード用として使い、次の物理ページにあるPGDテーブルをユーザーモード用とします。

処理速度低下を抑える工夫

PTIの導入によって安全性は高まりますが、その半面、性能低下の問題が生じます。前述の通りcr3レジスタの値を動作モードに合わせて変更するからです。

性能低下を抑えるためにPTIでは、CPUが「PCID」（Process-Context Identifier）や「INVPCID」（Invalidate Process-Context Identifier）という機能に対応している場合は、それを活用します。

PCIDは、従来は単一の仮想メモリー空間のキャッシュしか保持できなかったTLBを拡張し、仮想メモリー空間ごとにIDを付けてキャッシュを混在保持できるようにする機能です。IDの数は4096個とそれほど多くはありませんが、PCIDの利用によってキャッシュデータを消去する頻度を減らせるため、処理速度低下を抑えられます。

INVPCIDは、特定のPCIDを無効化する機能です。PCIDを使い尽くした場合などに、PCIDの割り当てを変更する処理を高速化できます。

CPUがPCIDやINVPCIDに対応しているかどうかは、「/proc/cpuinfo」ファイルの内容を調べることで分かります。flags項目に「pcid」という文字列があればPCID、「invpcid」という文字列があればINVPCIDに対応しています。

PTIによるPGDテーブル切り替えを確認

6-3節で紹介したQEMUとGDBの組み合わせで、PTIの動作を確認してみましょう。具体的には、システムコールが発行された際にカーネル内で最初に実行されるentry_SYSCALL_64()という関数内のコードの実行によって、cr3レジスタの値がどのように変化するのかを調べてみます。

QEMUとGDBの準備手順は6-3節の通りです。カーネルも6-3節で紹介した手順でビルドします。ただし、PTIを有効にするために「CONFIG_PAGE_TABLE_ISOLATION=y」という設定を追加します。menuconfigターゲットを使う場合は、「Security options」セクションの「Remove the kernel mapping in user mode」項目で設定できます。

カーネルのビルドまで完了したら、ソースツリーのトップディレクトリーに**図19**の内容の「gdbcom2」というファイルを作成します。

```
target remote localhost:12345
source .
symbol-file vmlinux
b entry_SYSCALL_64
la src
c
```

図19　作成するGDB用のスクリプトファイルの内容
ソースツリーのトップディレクトリーに上記のような内容の「gdbcom2」という名前のファイルを作成します。

準備ができたら、ソースツリーのトップディレクトリーで次のコマンドを実行してQEMU上でLinuxカーネルを動かします。

```
$ qemu-system-x86_64 -kernel arch/x86_64/boot/bzImage -initrd ~/ini
tramfs.img -append "console=ttyS0 rdinit=/sbin/init pti=on" -nograp
```

```
hic -gdb tcp::12345 -S ↵
```

-appendオプションで指定するカーネル起動オプションに「pti=on」という文字列を追加している点に注意してください。PTI機能は環境に応じて自動的に無効化されることがあるのですが、この文字列をカーネル起動オプションとして指定することで、強制的に有効化できます。

続いて、別の端末エミュレーターなどを開いて、ソースツリーのトップディレクトリーに移動してください。そこで次のコマンドを実行するとGDBが起動します。

```
$ gdb -x gdbcom2 ↵
```

システムコールが発行され、entry_SYSCALL_64()関数が実行された時点でLinuxカーネルの動作が止まります（**図20**）。この段階では、cr3レジスタには、まだユーザーモード用のPGDテーブルのページフレーム番号が格納されているはずです。実際にcr3レジスタの内容を調べてみましょう。

```
┌arch/x86/entry/entry_64.S──────────────────────────────────────
│143      */
│144
│145     ENTRY(entry_SYSCALL_64)
│146             UNWIND_HINT_EMPTY
│147             /*
│148              * Interrupts are off on entry.
│149              * We do not frame this tiny irq-off block with TRACE_IRQS_OFF/ON,
│150              * it is too small to ever cause noticeable irq latency.
│151              */
│152
B+>│153             swapgs
│154             /* tss.sp2 is scratch space. */
│155             movq    %rsp, PER_CPU_VAR(cpu_tss_rw + TSS_sp2)
│156             SWITCH_TO_KERNEL_CR3 scratch_reg=%rsp
│157             movq    PER_CPU_VAR(cpu_current_top_of_stack), %rsp
│158
│159             /* Construct struct pt_regs on stack */
│160             pushq   $__USER_DS                              /* pt_regs->ss */
│161             pushq   PER_CPU_VAR(cpu_tss_rw + TSS_sp2)       /* pt_regs->sp */
│162             pushq   %r11                                    /* pt_regs->flags */
│163             pushq   $__USER_CS                              /* pt_regs->cs */
│164             pushq   %rcx                                    /* pt_regs->ip */
│165     GLOBAL(entry_SYSCALL_64_after_hwframe)
remote Thread 1 In: entry_SYSCALL_64                         L153  PC: 0xffffffff81c00000

---Type <return> to continue, or q <return> to quit---
```

図20　GDBの実行画面
entry_SYSCALL_64()関数が実行された時点でLinuxカーネルの動作が止まります。

cr3レジスタの内容を調べるには、QEMUの画面をQEMUモニターに切り替えます。[Ctrl]キーと[A]キーを同時に押したあとに[C]キーを押すとQEMUモニターに切り替えられます。再度同じ操作をすると元のQEMU画面に戻ります。

QEMUモニターで次のコマンドを実行するとcr3レジスタを含むレジスタの値が表示されます。

```
(gdb) info registers ↵
```

実行結果は**図21**のようなものになります。この実行例では16進数で「0000000006bb1000」という値でした。ページフレーム番号は、cr3レジスタの12～51ビット目に格納されます。つまり16進数表記の下から4～13桁目がページフレーム番号となります。先ほどの実行例だと「0000006bb1」がページフレーム番号を示す16進数です。

図21 QEMUモニターでレジスタのデータを表示した例
「info registers」コマンドを実行することで、cr3を含むレジスタのデータを表示できます。

次にGDBの画面に移動して、「n」コマンドを繰り返し実行し、「SWITCH_TO_KERNEL_CR3 scratch reg=%rsp」という行を実行します。この行によってcr3レジスタの値がカーネルモード用のPGDテーブルのページフレーム番号に変更されるはずです。

QEMUモニターに戻ってレジスタの値を再度確かめてみましょう。結果は**図22**のようになります。この実行例では、cr3レジスタの値は16進数で「0000000006bb0000」でした。ここからページフレーム番号を取り出すと「0000006bb0」です。先ほどの値から「1」を差し引いた値が格納されていることが分かります。

「0000006bb0」に
ページフレーム番号が変化した

```
CR0=80050033 CR2=00000000004913a0 CR3=0000000006bb0000 CR4=000006f0
DR0=0000000000000000 DR1=0000000000000000 DR2=0000000000000000 DR3=0000000000000000
DR6=00000000ffff0ff0 DR7=0000000000000400
EFER=0000000000000d01
```

図22　テーブルの切り替え処理後にレジスタのデータを表示した例
cr3レジスタのデータが変化していることが分かります。

第7章

物理メモリー管理の仕組み

本章では、物理メモリー管理の仕組みについて解説します。解説するのは、連続した物理ページで構成される物理メモリー領域を効率良く確保する仕組みである「バディーシステム」と、物理ページよりも小さなサイズの物理メモリー領域を確保する仕組みである「スラブアロケーター」の二つです。

7-1 物理メモリー管理の必要性

第5章で紹介した通り、Linuxカーネルではページングと呼ばれる方式で仮想メモリーを実現しています。ページングを使えば、任意の物理ページを複数組み合わせて、さまざまなサイズの連続した仮想メモリー領域を確保できます。

ページングを使った仮想メモリーの仕組みがあれば、あるサイズの連続した物理メモリー領域を確保したり、それらを解放したりする物理メモリー管理の仕組みは不要のように思えます。しかし、実際には、いくつかの理由で物理メモリー管理が必要です。

理由の一つは、カーネル用の仮想メモリー領域の大部分で、物理メモリーを連続的に割り当てている（ストレートマップしている）からです（**図1**）。物理メモリー全体をストレートマップするダイレクトマップ領域はもちろんですが、vmalloc/ioremap領域を除く他の領域でも、物理メモリーをストレートマップしています。そうした領域内でメモリー領域を確保したり、解放したりするには、物理メモリー管理の仕組みが必要になります。

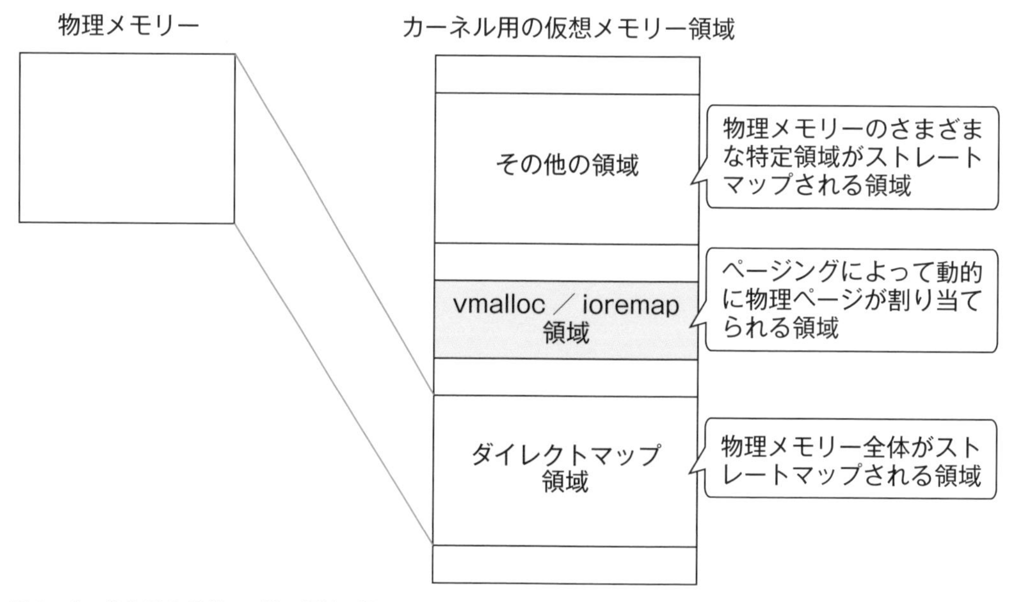

図1　カーネル用の仮想メモリー領域の概要

また、周辺機器などとCPUを介さずにデータを転送する仕組みである「DMA」（Direct Memory Access）も理由の一つです。DMAコントローラーは、一般にMMUを介さずに物理メモリーに直接アクセスし[*1]、連続した物理メモリー領域にあるデータを周辺機器内のバッファーに転送したり、その逆の処理をしたりします（**図2**）。こうした処理をするための物理メモリー領域を確保したり、解放したりするには、物理メモリー管理の仕組みが必要です。

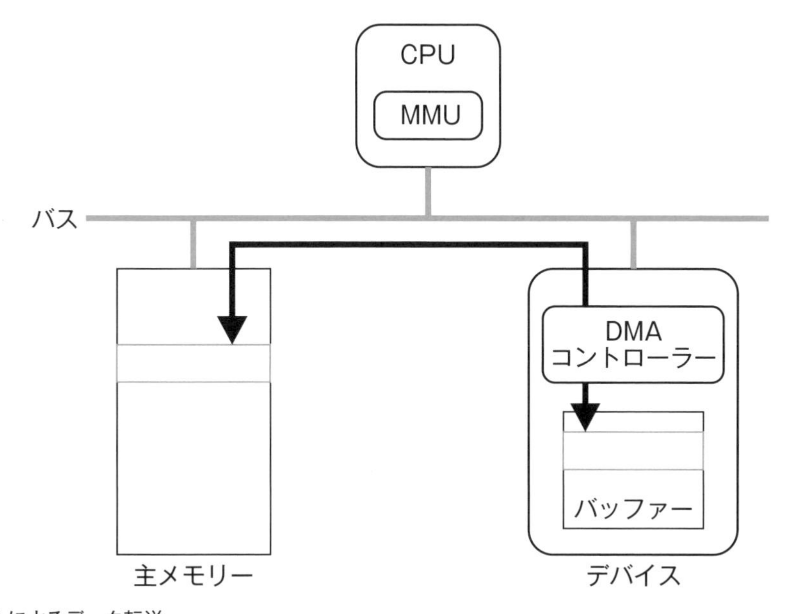

図2　DMAによるデータ転送
DMAコントローラーは、一般にMMUを介さずに物理メモリーに直接アクセスし、連続した物理メモリー領域にあるデータを周辺機器内のバッファーに転送したり、その逆の処理をしたりします。

＊1　周辺機器向けのMMU（IOMMU）を介してアクセスする場合もあります。

7-2 断片化（フラグメンテーション）を極力避ける

物理メモリー管理において重要なことの一つが、メモリーの利用効率を低下させる「断片化」（フラグメンテーション）を極力避けることです。メモリーの断片化には、内部断片化と外部断片化の2種類があります。

内部断片化とは、メモリー領域を確保する際に、実際には使わない領域まで確保してしまって、メモリー利用効率が下がることです（**図3**）。これは、ページのような固定サイズのメモリー領域を最小単位にしてメモリーを管理する場合に発生します。例えば、ページ単位にしかメモリー領域を確保できない環境だった場合、数バイト程度の領域しか必要でなくても一つのページを確保することになります。例えばページサイズが4Kバイトだとすると、その大部分が無駄になります。

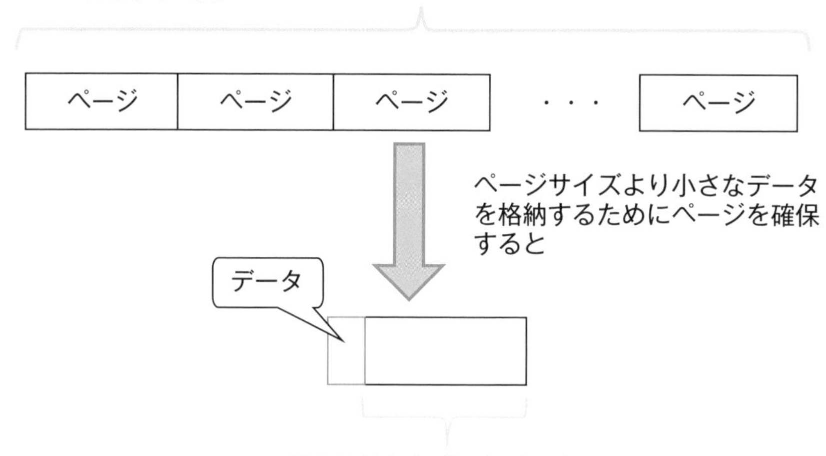

図3　メモリーの内部断片化
ページのような固定サイズのメモリー領域を最小単位にしてメモリーを管理する場合に発生します。

一方、外部断片化とは、使用中のメモリー領域が分散してしまい、連続した空きメモリー領域のサイズが小さくなることです（**図4**）。外部断片化が進行すると、必要なサイズの連続したメモリー領域を確保できなくなって、やはりメモリーの利用効率が下がってしまいます。

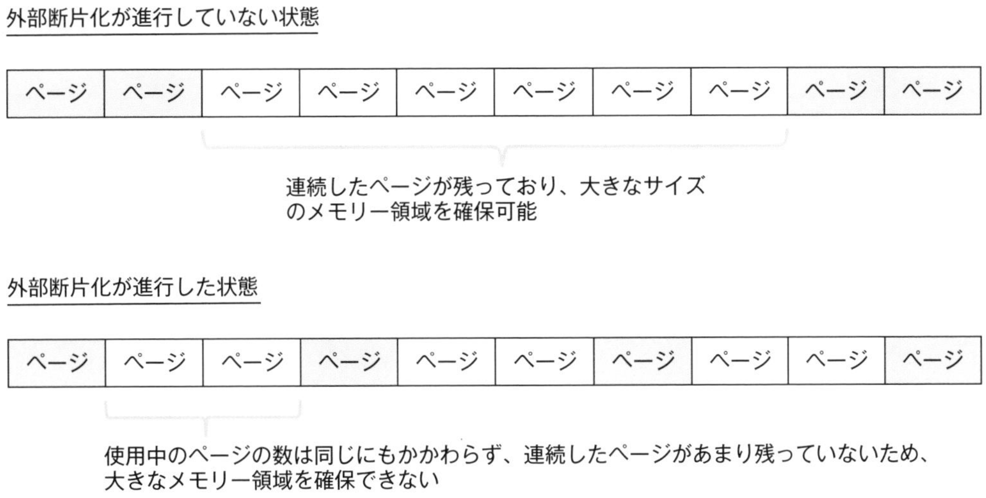

外部断片化が進行していない状態

ページ	ページ	ページ	ページ	ページ	ページ	ページ	ページ	ページ	ページ

連続したページが残っており、大きなサイズのメモリー領域を確保可能

外部断片化が進行した状態

ページ	ページ	ページ	ページ	ページ	ページ	ページ	ページ	ページ	ページ

使用中のページの数は同じにもかかわらず、連続したページがあまり残っていないため、大きなメモリー領域を確保できない

図4　メモリーの外部断片化
使用中のメモリー領域が分散してしまい、連続した空きメモリー領域のサイズが小さくなることです。

Linuxカーネルは、こうしたメモリーの断片化をできるだけ避けるための物理メモリー管理の仕組みを備えています。

7-3 バディーシステムの仕組み

要求したサイズの連続した物理／仮想メモリー領域を確保／解放する仕組みを「メモリーアロケーター」と呼びます。Linuxカーネルは、カーネル内部で使用できるメモリーアロケーターを複数備えています。また、メモリー管理用のシステムコールも複数備えています。それらのベースとなるのが「バディーシステム」（Buddy System）と呼ばれるメモリーアロケーターです（図5）。

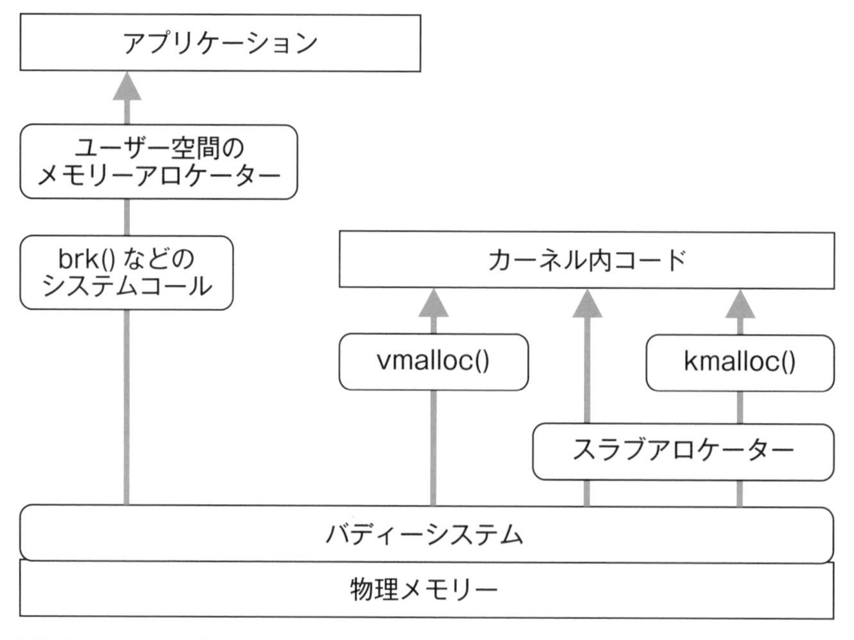

図5　さまざまなメモリーアロケーターのベースとなるバディーシステム
さまざまなメモリーアロケーターやメモリー管理用のシステムコールのベースとなるのがバディーシステムと呼ばれるメモリーアロケーターです。

バディーシステムは、2のべき乗個の連続した物理メモリーページで構成される「メモリーブロック」単位で物理メモリーを管理します。空きメモリーブロックを大きさ別にリストで管理しておき、あるサイズのメモリーブロックを要求されると、該当するサイズのリストにある空きメモリーブロックを割り当てます（図6）。リストに空きメモリーブロックがない場合は、倍の大きさの空きメモリーブロックを半分に分割し、そのうちの一つを割り当てます＊2。使わないもう一つは、リストに登録します。

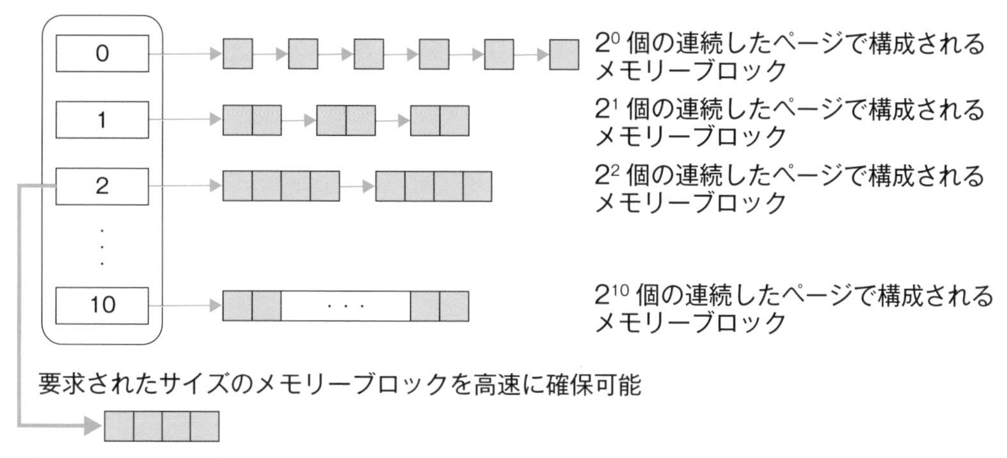

図6　バディーシステムがメモリーブロックを管理する仕組み
バディーシステムは、2のべき乗個の連続した物理メモリーページで構成される「メモリーブロック」単位で物理メモリーを管理します。

メモリーブロックが使用後に解放されると、前後に空きメモリーブロックがないかどうかを調べ、存在する場合はマージして、できるだけ大きなサイズの空きメモリーブロックを作ってリストに登録します。

バディーシステムでは、4Kバイト（物理ページの個数は1）～4Mバイト（物理ページの個数は1024）の11種類のサイズのメモリーブロックを管理します。何種類のメモリーブロックを管理するかは、「include/linux/mmzone.h」ファイルで定義される「MAX_ORDER」（**図7**）という定数で決まります＊3。

＊2　倍の大きさの空きメモリーブロックがない場合は、さらに倍の大きさの空きメモリーブロックを探すという風に、空きメモリーブロックが見つかるまで探索を繰り返します。
＊3　デフォルト値は「11」です。CONFIG_FORCE_MAX_ZONEORDERというビルド変数が設定されている場合は、そのビルド変数の値が設定されます。

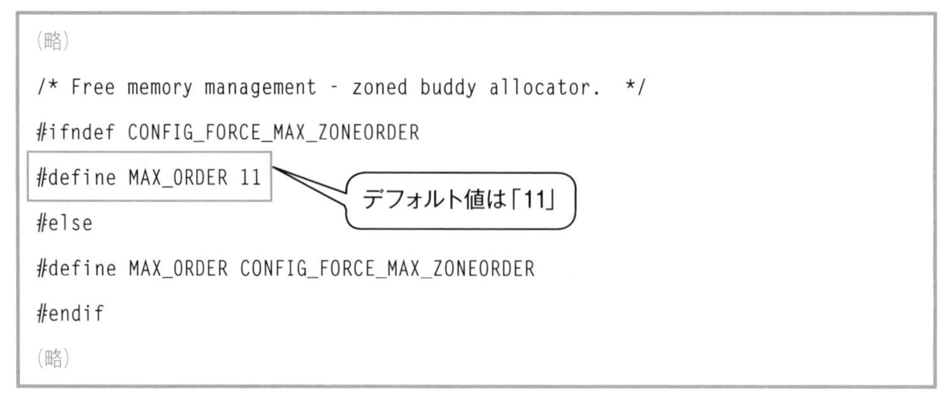
```
（略）
/* Free memory management - zoned buddy allocator.  */
#ifndef CONFIG_FORCE_MAX_ZONEORDER
#define MAX_ORDER 11
#else
#define MAX_ORDER CONFIG_FORCE_MAX_ZONEORDER
#endif
（略）
```


図7　MAX_ORDER定数の定義
「include/linux/mmzone.h」ファイルの該当部分を抜粋しています。

バディーシステムの仕組みは、1963年に開発された歴史のあるものです。シンプルな仕組みにもかかわらず、メモリーの外部断片化を避けつつ高速に動作するのが特徴です。

メモリーゾーンごとにメモリーブロックを管理

Linuxカーネルは、物理メモリーを「ZONE_DMA」「ZONE_DMA32」「ZONE_NORMAL」という三つのメモリーゾーンに分割して管理しています＊4（図8）。

ZONE_DMAは、物理メモリーの先頭から16Mバイトまでの領域です。古いデバイスには、この領域内に対してしかDMAができないものがあるため、そうしたデバイスを使う場合のために区別されています。

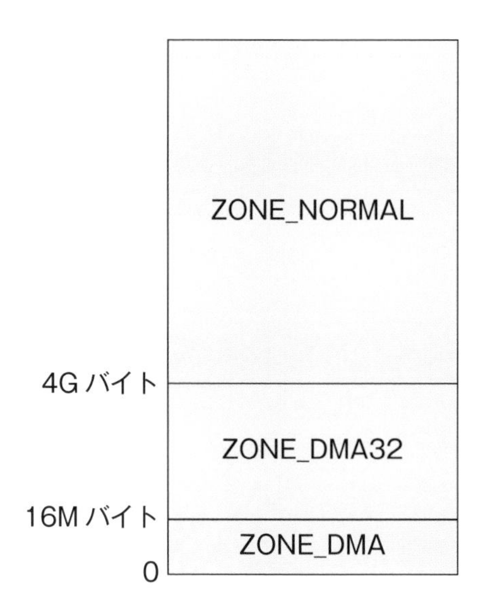

図8　メモリーゾーン
Linuxカーネルは、物理メモリーを「ZONE_DMA」「ZONE_DMA32」「ZONE_NORMAL」という三つのメモリーゾーンに分割して管理しています。

ZONE_DMA32は、物理メモリーの先頭から4Gバイトまでの領域からZONE_DMA領域を除いた部分です。この領域は、通常のデバイスがDMA可能なエリアです。

ZONE_NORMALは、ZONE_DMAとZONE_DMA32を除いたエリアです。

バディーシステムでは、これらのメモリーゾーンごとにメモリーブロックを管理します。バディーシステムを通じて物理メモリー領域を確保するalloc_pages()関数を呼び出す場合は、第1引数にメモリーゾーンを示すフラグを設定する必要があります＊5。

空きメモリーブロックの状況を調査

メモリーゾーンごとの空きメモリーブロックの状況は、「/proc/buddyinfo」ファイルの内容を表示することで分かります（**図9**）。

＊4　64ビットのx86プロセッサ向けのカーネルの場合です。
＊5　ZONE_DMAを指定する場合は「__GFP_DMA」、ZONE_DMA32を指定する場合は「__GFP_DMA32」というフラグを設定します。どちらも設定しなければZONE_NORMALになります。

```
$ cat /proc/buddyinfo
Node 0, zone      DMA      0      0      1      1      1      1      1 
0      1      1      3
Node 0, zone    DMA32      2      1      2      1      2      2      1 
3      3      1    481
Node 0, zone   Normal    156    111     91    146    118      9      2 
3      2      3  31194
```

図9 「/proc/buddyinfo」ファイルの内容を表示した例
メモリーゾーンごとの空きメモリーブロックの状況が分かります。

メモリーゾーンを示す「DMA」「DMA32」「Normal」という文字列の右側に表示されているのが、空きメモリーブロックの数です。数字はサイズ別にカウントされていて、最も左側にあるのがページ数が「1」の（つまり4Kバイトの）メモリーブロックの数、最も右側にあるのがページ数が「1024」の（つまり4Mバイトの）メモリーブロックの数です。

バディーシステムでメモリーブロックを確保／解放した際に、実際に/proc/buddyinfoファイルの内容が変化することを、「buddy_test」というカーネルモジュールでテストしてみましょう。

buddy_testモジュールは、任意の作業ディレクトリーを用意し、その中に**図10**で示す二つのファイルを作成してから、その作業ディレクトリーでmakeコマンドを実行するとビルドできます＊6。

Makefile

```
KDIR=/lib/modules/$(shell uname -r)/build
obj-m += buddy_test.o
all:
	make -C $(KDIR) M=$(PWD) modules
clean:
	make -C $(KDIR) M=$(PWD) clean
```

4行目と6行目の字下げは[Tab]キーを使う

buddy_test.c

```
#include <linux/kernel.h>
#include <linux/init.h>
#include <linux/module.h>

static struct page *page;
static unsigned int order = 10;

static int __init buddy_test_init(void) {
        unsigned int flags = 0;
        flags |= __GFP_DMA32;
        page = alloc_pages(flags, order);
        return 0;
}
static void __exit buddy_test_exit(void) {
        __free_pages(page, order);
}
module_init(buddy_test_init);
module_exit(buddy_test_exit);
MODULE_AUTHOR("SUEYASU Taizo");
MODULE_DESCRIPTION("Buddy System test driver");
MODULE_LICENSE("GPL");
```


図10 「buddy_test」モジュールを作成するためのファイル
任意の作業ディレクトリーを用意し、その中にこれらの内容を持つ二つのファイルを作成します。

ビルドしたbuddy_testモジュールをカーネルに組み込んだり、取り外したりすることで、/proc/buddyinfoファイルの内容がどのように変わるかを調べた結果が**図11**です。buddy_testモジュールでは、カーネル組み込み時にZONE_DMA32内に4Mバイトのメモリーブロックを一つ確保し、カーネルから取り外すときに確保したメモリーブロックを解放します。その通りに、/proc/buddyinfoファイルの内容が変化することが分かります。

＊6 モジュールをビルドするにはGCCやLinuxカーネルのヘッダーファイルなどが必要です。第３章で紹介した手順でカーネルのビルド環境を整え、カーネルをインストールしていれば、ほかの準備作業は不要です。

```
$ cat /proc/buddyinfo
Node 0, zone      DMA      0      0      1      1      1      1      1
0      1      1      3
Node 0, zone    DMA32      2      1      2      1      2      2      1
3      3      1    481
Node 0, zone   Normal    787    466    239    118    112     29      9
2      2      2  31191
$ sudo insmod ./buddy_test.ko
$ cat /proc/buddyinfo
Node 0, zone      DMA      0      0      1      1      1      1      1
0      1      1      3
Node 0, zone    DMA32      2      1      2      1      2      2      1
3      3      1    480
Node 0, zone   Normal    936    464    243    117    113     29      9
2      2      2  31191
$ sudo rmmod buddy_test
$ cat /proc/buddyinfo
Node 0, zone      DMA      0      0      1      1      1      1      1
0      1      1      3
Node 0, zone    DMA32      2      1      2      1      2      2      1
3      3      1    481
Node 0, zone   Normal    9                                13     29      9
2      2      2  31191
```

モジュールを組み込むと、空きメモリーブロックが一つ減る

モジュールを取り外すと、空きメモリーブロックが一つ増える

図11　buddy_testモジュールの操作による/proc/buddyinfoファイルの変化

7-4 三つのスラブアロケーターの仕組みの違い

バディーシステムで確保できるメモリーブロックのサイズは最小でページ一つの大きさ（4Kバイト）です。しかし、カーネル内部では、構造体などのデータを格納するためにページサイズよりも小さなデータ領域を頻繁に使用します。こうしたデータ領域をバディーシステムで確保すると、確保した領域のほとんどが未使用領域となる内部断片化が生じる危険があります。

そこでLinuxカーネルは、1997年リリースのバージョン2.1.23以降、ページサイズに限定されない（主にページサイズよりも小さな）データ領域を効率的に確保／解放できる「スラブアロケーター」というメモリーアロケーターを用意しています。

2020年時点では、「SLAB」「SLUB」「SLOB」の3種類のスラブアロケーター実装（**表1**）が用意されていて、カーネルのビルド時にそのうちのどれを使うかを選択できるようになっています。当初はSLABしかありませんでしたが、バージョン2.6.22でSLUBとSLOBが追加されて選択可能になりました。バージョン2.6.23以降はSLUBがデフォルトのスラブアロケーターとなっています。

表1　三つのスラブアロケーター実装

名前	利用できるカーネルのバージョン	説明
SLAB	バージョン2.1.23以降	大規模用途以外では高速だがコードがやや複雑
SLUB	バージョン2.6.22以降	SLABをシンプル化しつつスケーラビリティを確保した改良版。バージョン2.6.23以降ではデフォルトのスラブアロケーターとして使われる
SLOB	バージョン2.6.22以降	メモリー使用量が少ないシンプルな実装

SLABとSLUBでは、「スラブキャッシュ」と呼ばれるメモリーブロックで構成される領域内に、固定サイズのデータ領域である「スラブオブジェクト」を事前に複数確保しておき、そのサイズのデータ領域を要求されたら、スラブオブジェクトの一つを選択して渡す仕組みを採用しています（**図12**）。さまざまなサイズのデータ領域の割り当てに対応できるように、スラブオブジェクトのサイズ別にスラブキャッシュを複数種類作ることができます。また、スラブキャッシュのそれぞれには名前を付けられます。同じサイズのスラブオブジェクトを格納するスラブキャッシュがあったとしても、名前によって区別することが可能です。

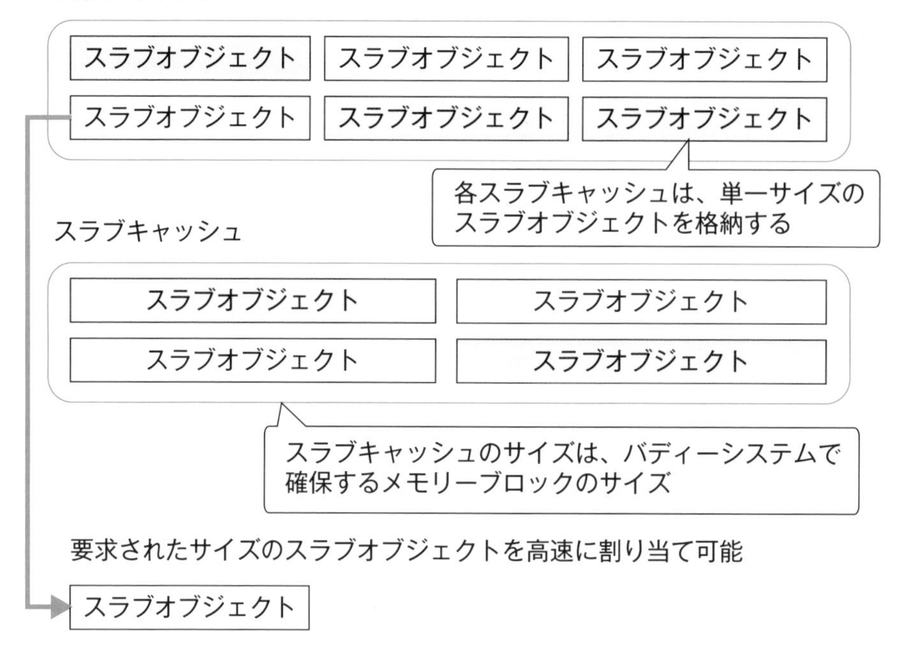

図12　SLABとSLUBのメモリー領域管理の仕組み
「スラブキャッシュ」と呼ばれるメモリーブロックで構成される領域内に、ある特定のサイズのデータ領域である「スラブオブジェクト」を事前に複数確保しておき、そのサイズのデータ領域を要求されたら、スラブオブジェクトの一つを選択して渡す仕組みを採用しています。

スラブキャッシュを用意しておくことで、データ領域の割り当て／解放の要求に高速に対応できます。その半面、スラブキャッシュを使う仕組みには、メモリー消費量が多いという問題があります。これは主メモリー量が少ない組み込み機器などでは、特に問題です。そこでSLOBでは、スラブオブジェクトのサイズや名前ごとにスラブキャッシュを用意するのではなく、単一のメモリーブロック内に使用する分だけのスラブオブジェクトを格納して管理する方法を採用しています（図13）。

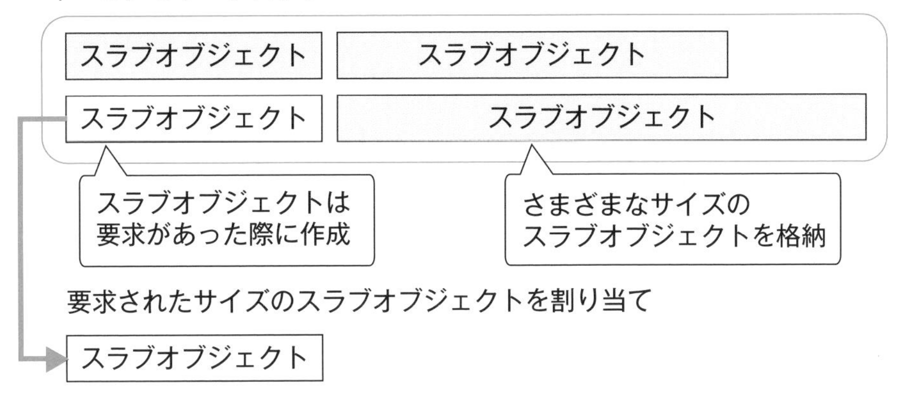

図13　SLOBのメモリー領域管理の仕組み
スラブオブジェクトのサイズや名前ごとにスラブキャッシュを用意するのではなく、単一のメモリーブロック内に使用する分だけのオブジェクトを格納して管理します。

現在使用中のカーネルでどのスラブアロケーター実装を使っているのかは、カーネルのビルド設定ファイルを調べると分かります。「CONFIG_SLAB=y」という行があればSLAB、「CONFIG_SLUB=y」という行があればSLUB、「CONFIG_SLOB=y」という行があればSLOBを使っています。

/proc/slabinfoファイルを使った調査

SLABまたはSLUBを使っている場合は、「/proc/slabinfo」ファイルの内容を表示することで、スラブオブジェクトの情報などを調べられます（**図14**）。同ファイルの内容を表示するには、管理者権限が必要です。各行の最初に表示される四つの項目は、**表2**に示す情報を示します。

slabinfo - version: 2.1

# name	<active_ objs>	<num_ objs>	<obj size>	<objper slab>	<pagesper slab>	: tunables	<limit>	<batch count>	<shared factor>	: slab data	<active_ slabs>
nf_conntrack	0	0	320	25	2 : tunables	0	0	0 : slabdata	0	0	0
kvm_vcpu	0	0	17152	1	8 : tunables	0	0	0 : slabdata	0	0	0
kvm_mmu_page_header	0	0	168	24	1 : tunables	0	0	0 : slabdata	0	0	0
x86_fpu	0	0	4160	7	8 : tunables	0	0	0 : slabdata	0	0	0
ext4_groupinfo_4k	24612	24612	144	28	1 : tunables	0	0	0 : slabdata	879	879	0
btrfs_delayed_node	0	0	312	26	2 : tunables	0	0	0 : slabdata	0	0	0
btrfs_ordered_extent	0	0	416	39	4 : tunables	0	0	0 : slabdata	0	0	0
btrfs_extent_map	0	0	144	28	1 : tunables	0	0	0 : slabdata	0	0	0
btrfs_free_space_bitmap	0	0	12288	2	8 : tunables	0	0	0 : slabdata	0	0	0

（略）

図14　「/proc/slabinfo」ファイルの内容を表示した例
SLABまたはSLUBを使っている場合は、「/proc/slabinfo」ファイルの内容を表示することで、スラブオブジェクトの情報などを調べられます。catコマンドで内容を表示しても見づらいため、ここでは表の形で整理します。

表2 「/proc/slabinfo」ファイルの各行の最初に表示される四つの項目

項目	説明
name	スラブキャッシュの名前
active_objs	アクティブなスラブオブジェクトの数
num_objs	スラブオブジェクトの総数
objsize	スラブオブジェクトのサイズ

なお、SLABの場合は、active_objs項目には割り当て済み（使用中）のスラブオブジェクトの数が表示されます。一方、SLUBの場合は意味合いが異なり、多くの場合、num_objs項目と同じ数値が表示されます。

スラブアロケーターで、メモリー領域を確保／解放した際に、実際に/proc/slabinfoファイルの内容が変化することを、「slab_test」というカーネルモジュールでテストしてみましょう。

slab_testモジュールは、任意の作業ディレクトリーを用意し、その中に図15で示す二つのファイルを作成してから、その作業ディレクトリーでmakeコマンドを実行するとビルドできます＊7。

Makefile

```
KDIR=/lib/modules/$(shell uname -r)/build
obj-m += slab_test.o
all:
	make -C $(KDIR) M=$(PWD) modules
clean:
	make -C $(KDIR) M=$(PWD) clean
```

4行目と6行目の字下げは
[Tab]キーを使う

slab_test.c

```
#include <linux/kernel.h>
#include <linux/init.h>
#include <linux/module.h>
#include <linux/slab.h>

static struct kmem_cache *slab_cache;
static void *data;
static size_t data_size = 456;

static int __init slab_test_init(void) {
        slab_cache = kmem_cache_create("test_slab_cache",
                                data_size, 0, 0, NULL);
        data = kmem_cache_alloc(slab_cache, 0);
        return 0;
}
static void __exit slab_test_exit(void) {
        kmem_cache_free(slab_cache, data);
        kmem_cache_destroy(slab_cache);
}
module_init(slab_test_init);
module_exit(slab_test_exit);
MODULE_AUTHOR("SUEYASU Taizo");
MODULE_DESCRIPTION("Slab test driver");
MODULE_LICENSE("GPL");
```

スラブオブジェクトのサイズ（バイト）

図15 「slab_test」モジュールを作成するためのファイル
任意の作業ディレクトリーを用意し、その中にこれらの内容を持つ二つのファイルを作成します。

＊7 モジュールをビルドするにはGCCやLinuxカーネルのヘッダーファイルなどが必要です。第3章で紹介した手順でカーネルのビルド環境を整え、カーネルをインストールしていれば、ほかの準備作業は不要です。

ビルドしたslab_testモジュールをカーネルに組み込んだり、取り外したりすることで、/proc/slabinfoファイルの内容がどのように変わるかをSLABを使用している環境で調べた結果が**図16**です。

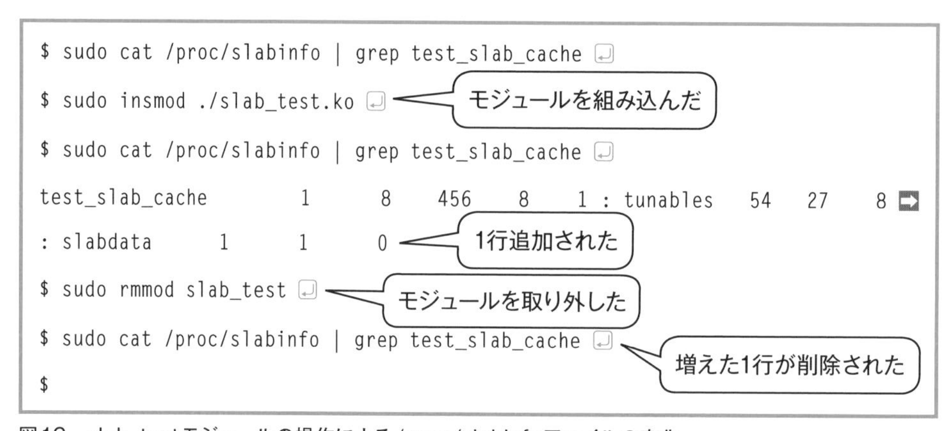

図16　slab_testモジュールの操作による/proc/slabinfoファイルの変化
モジュールを組み込むと、「test_slab_cache」から始まる行が追加されます。また、その行のobjsize項目は「456」、active_objs項目は「1」となります。

slab_testモジュールでは、カーネル組み込み時に「test_slab_cache」という名前のスラブキャッシュを作成し、そこに456バイトのデータを格納できるスラブオブジェクトを確保してから、そのうちの一つを割り当てます＊8。その通りに、/proc/slabinfoファイルには「test_slab_cache」から始まる行が追加されます。また、その行のobjsize項目は「456」、active_objs項目は「1」となります＊9。

slab_testモジュールを取り外すと、test_slab_cacheスラブキャッシュは削除され、proc/slabinfoファイルの内容から「test_slab_cache」から始まる行がなくなります。

＊8　実際に作成されるスラブオブジェクトのサイズは、条件によっては格納できるデータのサイズよりも大きくなります。
＊9　active_objs項目の数値が「1」になるまで少し時間がかかることがあります。

第8章

ファイルシステムの仕組み

本章では、ファイルやファイルシステムについて概説します。多くのLinux ディストリビューションで標準ファイルシステムとして使われている「ext4」と、先進的な機能を多数備える「Btrfs」の二つについては、それらが持つデータを安全に更新する仕組みを詳しく解説します。

8-1 Linuxにおけるファイルの構造

第1章で紹介した通り、ファイルシステムは、「ファイル」というインタフェースをユーザーやアプリケーションに提供する仕組みです。

Linuxでは、ファイルに「任意の長さを持つバイト列データ」を格納します（**図1**）。ファイルシステムは、ファイル中のデータを単なるバイト列として取り扱い、特別な構造であることを要求しません。アプリケーションやユーザーは、ファイルの任意の場所のデータを1バイト単位で読み書きできます。また、ファイルのサイズは、記録されるデータに合わせて1バイト単位で増減します。

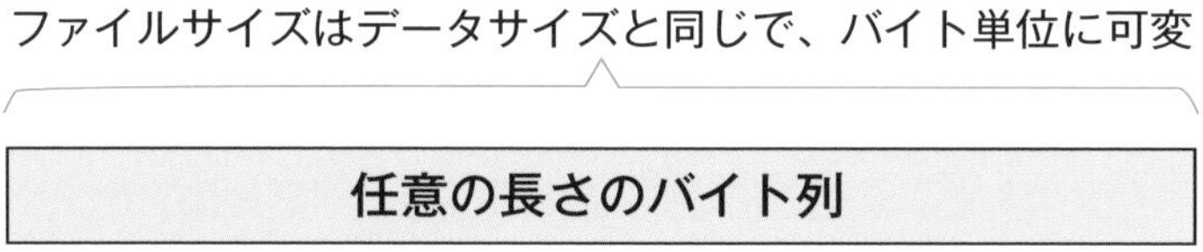

図1　Linuxのファイルの構造

現在では当たり前のように思えますが、このようなファイル構造は、UNIXが採用したことによって広く普及したものです。UNIX登場前から使われているメインフレームのOSなどでは、ファイルを固定長の記録ブロック（レコード）の集合として取り扱っていて、読み書きはレコード単位で実施します[*1]。また、ファイルサイズはレコード単位で増減します。

ファイル中のデータを単なるバイト列として取り扱うことの利点は、データの入出力処理やファイル操作を単純化できることです。例えば、ファイル中の特定のデータを書き換える場合、そのデータがどのレコードに記録されているかなどを考慮することなく、直接書き換えることができます。また、ファイル同士を連結する場合も、末尾のレコードの「空き」などを気にせずにそのまま連結できます。

ファイルの管理情報は別にある

ファイルそのものとは別に、ファイルを管理するためのさまざまな情報が存在します。そうした情報には例えば、ファイル名やファイルの所有者、ファイルのアクセス許可属性、ファイルを作成したり変更したりした時刻、ファイルのデータが実際に記憶装置のどこの場所に格納されているかを示す情報、といったものがあります。

これらの情報のうち、ファイル名は後述するディレクトリーに格納されます。他の情報は「iノード」と呼ばれるデータにまとめて管理されます＊2。iノードのデータ構造は、「include/linux/fs.h」ファイルで**図2**のように定義されています。iノード中の主なデータ領域（フィールド）と、それに格納されるデータを**表1**にまとめました。

```
struct inode {
        umode_t                 i_mode;
（略）
        kuid_t                  i_uid;
        kgid_t                  i_gid;
（略）
        const struct inode_operations   *i_op;
        struct super_block      *i_sb;
（略）
        unsigned long           i_ino;
（略）
        union {
                const unsigned int i_nlink;
                unsigned int __i_nlink;
        };
        dev_t                   i_rdev;
        loff_t                  i_size;
        struct timespec64       i_atime;
        struct timespec64       i_mtime;
        struct timespec64       i_ctime;
（略）
```

＊1　8ビットPCなどで使われていた「CP/M」というOSもレコードベースのファイル構造を採用しています。ファイルの入出力単位は128バイトです。

＊2　ここでいうiノードは、第1章で紹介したVFS（Virtual File System）の層で使用する「VFS iノード」のことです。各ファイルシステムが使用するiノードとは異なります。実際のファイルシステムにはiノードを使用しないものもありますが、そうしたものでもVFS層ではVFS iノードの情報を使ってファイルを管理します。

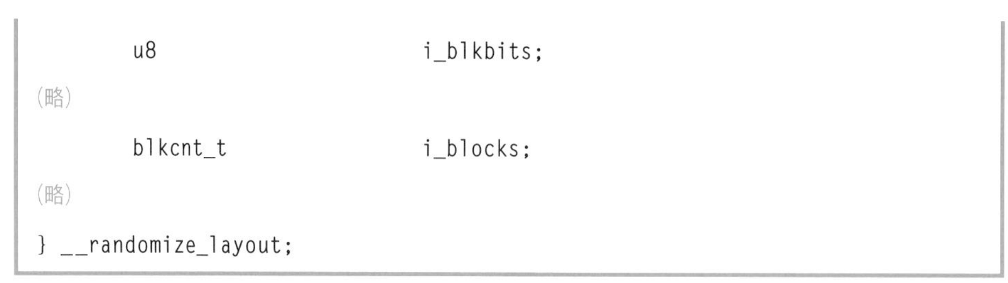

```
        u8                      i_blkbits;
(略)
        blkcnt_t                i_blocks;
(略)
} __randomize_layout;
```

図2　iノードのデータ構造を定義するコード（抜粋）
iノードのデータ構造は「include/linux/fs.h」で定義されています。

表1　iノード内の主なデータ領域（フィールド）とそこに格納されるデータ

フィールド名	格納するデータ
i_mode	アクセス許可属性
i_uid	ユーザーID
i_gid	グループID
i_op	ファイル操作用の関数を示す関数ポインタ群
i_sb	ファイルシステムのスーパーブロック（中核的なメタデータ）を示すポインタ
i_ino	iノード番号
i_nlink	ハードリンクの数
i_rdev	デバイスを示すメジャー/マイナー番号
i_size	ファイルサイズ
i_atime	ファイルが最後にアクセスされた時刻
i_mtime	ファイルのデータが最後に変更された時刻
i_ctime	ファイルのステータスが最後に変更された時刻
i_blkbits	ブロックサイズを示すビット数
i_blocks	ブロック数

各iノードには、「iノード番号」と呼ばれるファイルシステムごとにユニークな番号が割り振られて、それを使ってファイルとの対応付けを実現しています。

各ファイルのiノード番号は、-iオプションを付けてlsコマンドを実行すると調べられます（**図3**）。

```
$ ls -i ⏎
15212605 COPYING        15212612 README    16784121 include  16913860 samples
15212606 CREDITS        16127545 arch      16786882 init     16914123 scripts
15343744 Documentation  16388289 block     16911004 ipc      16914597 security
15212607 Kbuild         16388393 certs     16911018 kernel   16914829 sound
15212608 Kconfig        15212614 conf-def  16911468 lib      17039393 tools
15212609 LICENSES       16388403 crypto    15212613 log      17170776 usr
15212610 MAINTAINERS    16388582 drivers   16911866 mm       17170786 virt
15212611 Makefile       16782101 fs        16911990 net
```

図3　iノード番号の調べ方
ファイル名の左側に表示されるのがiノード番号です。

8-2 ファイルの種類

Linuxのファイルには、通常のファイルのほかに「ディレクトリー」「シンボリックリンク」「キャラクター型特殊ファイル」「ブロック型特殊ファイル」「パイプ」「ソケット」などの種類があります。

ファイルの種類は、-lオプション付きでlsコマンドを実行すると調べられます（**図4**）。各行の最初に表示されるファイル属性を示す文字列の先頭の文字がファイルの種類を示します。文字とファイルの種類の対応は**表2**の通りです。

```
sueyasu@ubuntu:~/work$ ls -l
合計 8
drwxrwxr-x 2 sueyasu sueyasu 4096  7月 16 23:03 sample
-rw-rw-r-- 1 sueyasu sueyasu    6  7月 16 23:04 sample.txt
lrwxrwxrwx 1 sueyasu sueyasu   10  7月 16 23:06 symlink.txt -> sample.txt
```

この部分の文字がファイルの種類を示す

図4　ファイルの種類の調べ方
ファイルの種類は、-lオプション付きでlsコマンドを実行すると調べられます。各行の最初に表示されるファイル属性を示す文字列の先頭の文字がファイルの種類を示します。

表2 「ls -l」コマンドの出力行の先頭の文字が示すファイルの種類

文字	ファイルの種類
-	通常ファイル
b	ブロック型特殊ファイル
c	キャラクター型特殊ファイル
d	ディレクトリー
l	シンボリックリンク
p	パイプ
s	ソケット

このうち、ディレクトリーとシンボリックリンクについて以下で解説します*3。なお、ブロック型特殊ファイルとキャラクター型特殊ファイルは、デバイスファイルとして使用するものです。デバイスファイルについては、第1章を参照してください。

ディレクトリー

ディレクトリーは、ファイルやディレクトリーを格納する容器です。Linuxのファイルシステムは、**図5**のようなツリー状のディレクトリー階層を作成できます。

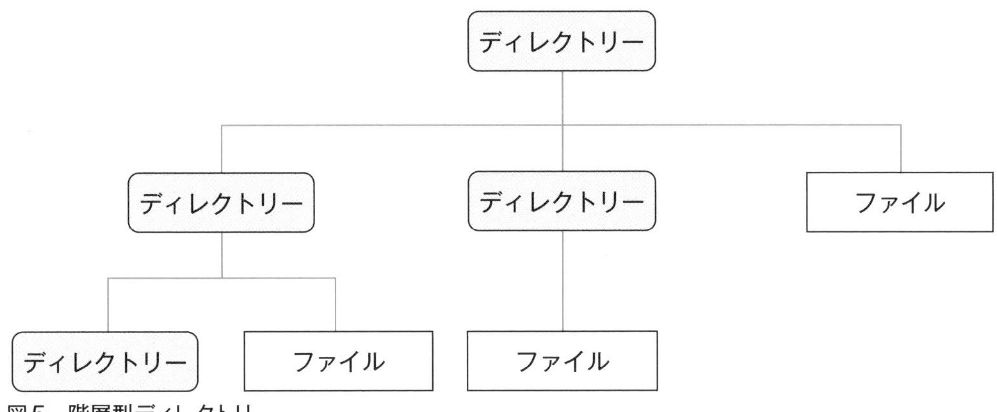

図5　階層型ディレクトリー
Linuxのファイルシステムは、ツリー状のディレクトリー階層を作成できます。

先述の通り、ディレクトリーも実体はファイルであり、その中にはディレクトリー内にあるファイルやディレクトリーの名前やiノード番号などの情報を格納する「ディレクトリーエントリー」と呼ばれるデータが複数記録されます（**図6**）。

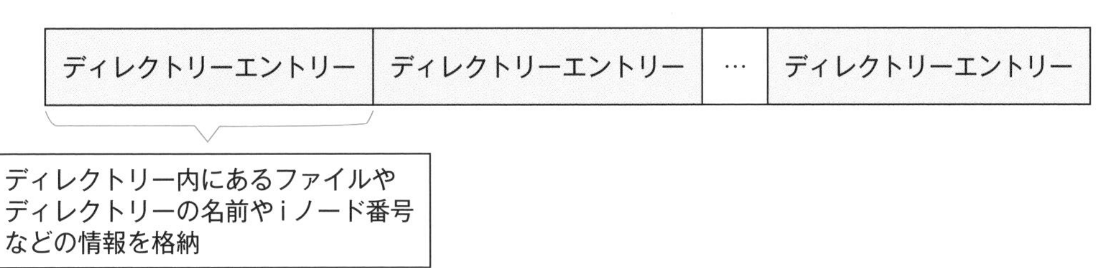

図6　ディレクトリーファイルに記録されるデータ

アプリケーションやユーザーがファイルにアクセスしてデータを入出力する場合は、(1) ディレクトリーをたどって目的のファイルが格納されるディレクトリーを特定、(2) ディレクトリーファイル内にある目的のファイルのディレクトリーエントリーをファイル名を使って特定、(3) ディレクトリーエントリーにあるiノード番

＊3　パイプとソケットはプロセス間の通信に使われる特殊なファイルです。名前のないファイル（無名ファイル）であることが多く、一般的なファイルシステムの操作では存在を目にすることが少ないため、ここでは解説しません。

号で目的とするファイルのiノードを特定、(4) iノードの情報を使って目的のファイルのデータが記録されている記憶装置内の位置を把握、(5) ファイルに対する入出力処理を実施、といった流れで処理をします＊4。

なお、異なるディレクトリーエントリーに同じiノード番号を設定することもできます。それらのディレクトリーエントリーが指し示すファイル同士は、まったく同じ属性やデータを持つことになります。このようなファイルは「ハードリンク」と呼び、lnコマンドを次のように実行すると作成できます＊5。リンク先ファイルが存在しない場合は、ハードリンクは作成されません。

```
$ ln リンク先ファイルのパス名 新規に作成するハードリンクのパス名 ↵
```

指定したディレクトリーのディレクトリーエントリーを読み出し、iノード番号とファイル／ディレクトリー名を順次表示するプログラムの例を図7に挙げました。このプログラムを記述したファイルを「dump_dir.c」というファイル名で保存して、次のコマンドを実行すると「dump_dir」というコマンドが生成されます＊6。

```
#include <dirent.h>
#include <errno.h>
#include <sys/types.h>
#include <stdio.h>

int main(int argc, char *argv[]) {
  DIR *dir;
  struct dirent *entry;

  if(argc != 2) return 1;
  if((dir = opendir(argv[1])) == NULL) {
    perror("dir open error");
    return 1;
  }
  else {
```

```
    while ((entry = readdir(dir)) != NULL)
    printf("inode=%d filename=%s¥n",
           (int)entry->d_ino, entry->d_name);
  }
  closedir(dir);
  return 0;
}
```

図7 「dump_dir.c」ファイルに記述するコード
iノード番号とファイル/ディレクトリー名を順次表示するプログラムの例です。

```
$ gcc -o dump_dir dump_dir.c ↵
```

dump_dirコマンドの実行例を**図8**に挙げました。

```
sueyasu@ubuntu:~$ ./dump_dir work ↵
inode=13631489 filename=..
inode=22282386 filename=sample
inode=22282390 filename=symlink.txt
inode=22282387 filename=sample.txt
inode=22282385 filename=.
```

図8 dump_dirコマンドの実行例
workディレクトリーファイルに格納されているデータを表示した例です。

シンボリックリンク

iノード番号を使って実現されるハードリンクは、同じファイルシステム内でしか

＊4 (1) (2) の処理においてもディレクトリーファイルのデータを読み出すために、(3) ～ (5) 相当の処理がそれぞれ実施されます。また、処理高速化のためにキャッシュを使う仕組みが導入されているので、毎回 (1) ～ (5) の処理が実施されるわけではありません。

＊5 前述の通りiノード番号はファイルシステムごとにユニークな番号です。そのため、異なるファイルシステムをまたいでハードリンクを作成することはできません。そうしたリンクを作成したい場合は、後述するシンボリックリンクを使用します。また、ディレクトリーに対するハードリンク作成には若干制限があります。詳しくはlnコマンドのオンラインマニュアルを参照してください。

＊6 コマンドを生成するには開発環境としてCコンパイラやCライブラリのヘッダーファイルなどが必要です。第3章で紹介した手順でカーネルのビルド環境を整えていれば、ほかの準備作業は不要です。

作成できません。一方、iノード番号を使わずにリンクを実現するシンボリックリンクには、そうした制限はありません。

シンボリックリンクは、リンク先ファイル／ディレクトリーのパス名をデータとして格納する特殊なファイルです。シンボリックリンクに対する読み書き処理は、実際にはリンク先のファイルやディレクトリーに対して実施されます（**図9**）。

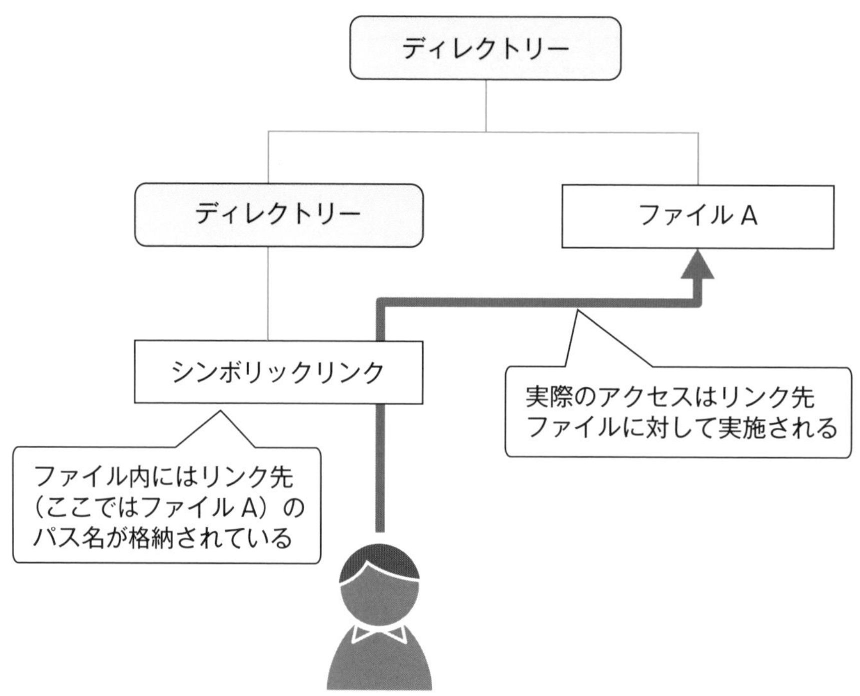

図9　シンボリックリンク
ハードリンクとは異なり、ファイルシステムをまたいだリンクも作成可能です。

シンボリックリンクは、-sオプション付きでlnコマンドを次のように実行すると作成できます。

```
$ ln -s リンク先ファイル 作成するシンボリックリンクのパス名 ↵
```

ハードリンクの場合と異なり、シンボリックリンクはリンク先ファイルが存在しなくても作成できます。また、ディレクトリーに対しても特別な制限なくシンボリックリンクを作成できます。

8-3 VFSが処理を共通化する仕組み

第1章で、Linuxのファイルシステムには、異なるファイルシステムに対する処理を共通化するための「VFS」(Virtual File System)という仕組みがあると解説しました。ここでは、VFSが処理を共通化する仕組みの一例を紹介します。

アプリケーションは、ほかのカーネル機能を使う場合と同様に、システムコールを使ってファイルの操作やデータの入出力を実現します。ファイル関連のシステムコールには、データを読み込むのに使用するread()や、データを書き込むのに使用するwrite()などがあります。

これらのシステムコールは、カーネル内にある「sys_システムコール名()」という名前の関数で処理されます。例えば、write()の場合は、VFS層のコード(fs/read_write.c)で定義されているsys_write()という関数(**図10**)で処理されます。

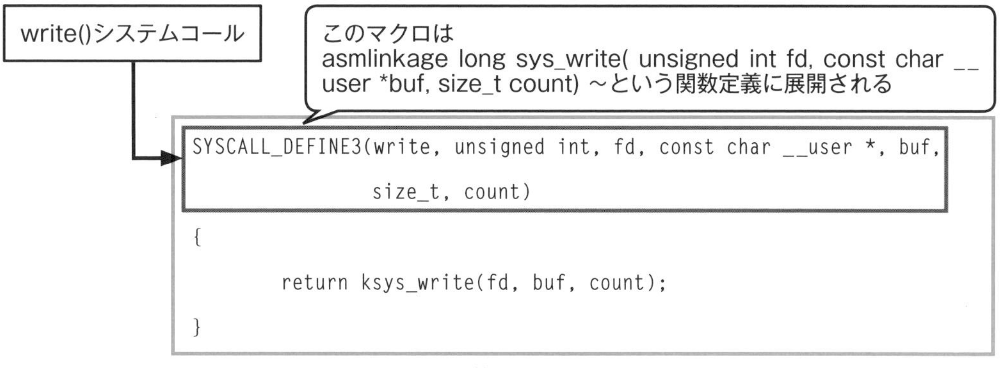

図10 write()システムコールはsys_write()関数で処理される
sys_write()関数の定義は「fs/read_write.c」ファイル中にあります。

sys_write()関数は、同じファイル中にあるksys_write()関数、vfs_write()関数、__vfs_write()関数を順次呼び出します(**図11**)。そして最終的には、__vfs_write()関数内で、各ファイルごとに定義されているファイル構造体と呼ばれるデータ中にある、ファイル操作用の構造体内の「write」という**関数ポインタ***に設定されているアドレスの関数を呼び出します*7。

【関数ポインタ】 関数のアドレスを格納する変数。「関数ポインタ名()」の形で、格納したアドレスの関数を実行できます。

*7 ほとんどのファイルシステムでは、writeの代わりに非同期I/Oに対応する「write_iter」という関数ポインタを用意しています。そうしたファイルシステムを使っている場合は、さらにいくつかの関数を経て、write_iterに設定されている関数が呼び出されます。

fs/read_write.c

```
(略)
static ssize_t __vfs_write(struct file *file, const char __user *p,
                    size_t count, loff_t *pos)
{
        if (file->f_op->write)
                return file->f_op->write(file, p, count, pos);
        else if (file->f_op->write_iter)
                return new_sync_write(file, p, count, pos);
(略)
}
(略)
ssize_t vfs_write(struct file *file, const char __user *buf, size_t count, ➡
loff_t *pos)
{
(略)
                ret = __vfs_write(file, buf, count, pos);
}
(略)
ssize_t ksys_write(unsigned int fd, const char __user *buf, size_t count)
{
(略)
                ret = vfs_write(f.file, buf, count, ppos);
(略)


}


SYSCALL_DEFINE3(write, unsigned int, fd, const char __user *, buf,
                size_t, count)
{
        return ksys_write(fd, buf, count);
}
(略)
```

ファイル操作用の構造体に「write」という関数ポインタがあれば、それを呼び出す

①②③④

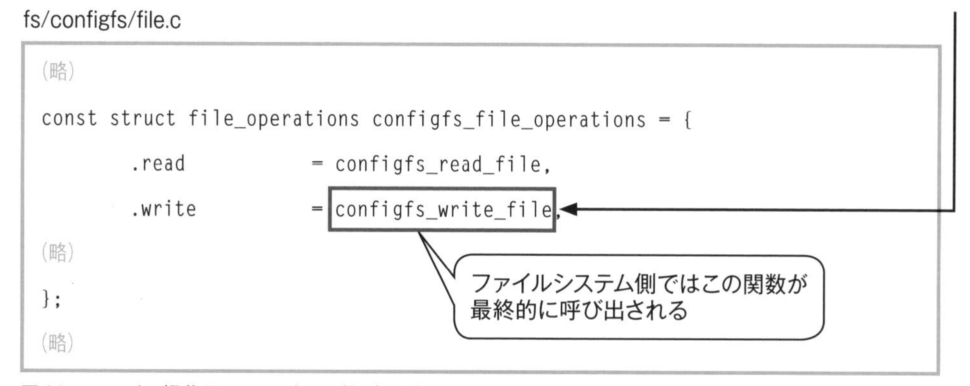

図11　ファイル操作用のメンバー関数が呼び出される流れ
カーネルオブジェクト操作用のファイルシステム「configfs」を使用した場合の例です。

ファイル操作用の構造体内の関数ポインタの値は、各ファイルシステムのコードで設定されています。例えば、カーネルオブジェクト操作用のファイルシステム「configfs」の場合は、「fs/configfs/file.c」というファイル内で設定されています。writeという関数ポインタにはconfigfs_write_file()という関数のアドレスが設定されているため、最終的にはそれが呼び出されることになります。

このような呼び出し方をすることで、ファイルシステムの違いを吸収して、共通のシステムコールでファイルの操作やデータの入出力を実現できるようになっています。

8-4 ext4が安全性を保つ仕組み

最近のLinuxディストリビューションの多くは「ext4」というファイルシステムを採用しています。ext4は、Linux用のファイルシステムとして開発された「ext」系列の最新ファイルシステムです。

ext4は、ファイルシステムの安全性を保つための「ジャーナリング」と呼ばれる仕組みを備えています。ここでは、ext4の概要やジャーナリングの仕組みなどについて紹介します。

ext系列のファイルシステムの変遷

最初に、ext4が登場するまでのext系列のファイルシステムの変遷を解説します。

初期のLinuxカーネルは、MINIXというOSの上で開発されていました。その経緯もあり、初期のLinuxカーネルがサポートするファイルシステムは、MINIXで使われている「MINIX file system」だけでした。しかしMINIX file systemには、ファイル名が最大14文字（もしくは30文字)、ファイルシステムやファイルの最大サイズが64Mバイト、ファイルの更新時刻（mtime）しか記録できない、といった制限がありました*8。

そこで、MINIX file systemを拡張した「ext」というファイルシステムが1992年に開発され、バージョン0.96bのLinuxカーネルに追加されました。extは「extended」を意味します。 extでは、ファイル名が最大255文字、ファイルシステムやファイルの最大サイズが2Gバイトに拡大されました。しかし、ファイルに関する時刻情報は相変わらずmtimeだけで、最終アクセス時刻などは記録できませんでしたし、処理性能上の問題も抱えていました。

extの問題を解決するために、1年もしないうちに改良版の「ext2」と「xiafs」という二つのファイルシステムが開発され、バージョン0.99.7のLinuxカーネルに追加されました。この両者はLinuxの標準ファイルシステムの座をしばらく争っていましたが、最終的にはext2が勝利しています。ext2は、UNIX系OSの一つである「BSD」(Berkeley Software Distribution）のファイルシステム（BSD FFS）を参考に開発されていて、UNIX系OSに必要な機能を一通り備えていました。そのため、後継の「ext3」が開発されるまで、比較的長い期間使われていました。

ext3は、ext2に「ジャーナリング」と呼ばれる仕組みを追加したファイルシステムです。2001年にバージョン2.4.15のLinuxカーネルに追加されました。ジャーナリングとは、ファイルシステムに変更を加える前に、その変更内容を記した「ジャーナル」と呼ばれるログデータを不揮発性のある記憶装置に記録する方式です。ジャーナリングによって、停電などによるファイルシステム破損の危険を低減できます。ジャーナリングの詳細については後述します。

大きなサイズのファイルを効率的に扱えるext4

2006年にリリースされたバージョン2.6.19のLinuxカーネルに追加されたext4は、ext3を改良して、大きなサイズのファイルを効率的に扱えるようにしたものです。

ext3が大きなファイルを効率的に扱えないのは、4Kバイトなどの小さな固定長ブロック単位でファイルを管理するからです。ブロックサイズが4Kバイトだとすると、128Mバイトのファイルの場合は約3万3000個のブロックに分割して管理しなければなりません。

多数のブロックを管理するとなると、ブロック管理用の情報が増えて、主メモリーやハードディスクドライブなどの記憶領域を無駄に消費します。また、ブロック管理用情報を参照したり、管理したりする処理に時間がかかることになって、ファイル処理性能も低下します。ハードディスクドライブなどの記憶装置の大容量化が進んだことや、動画などの大きなデータを扱うことが増えたことでファイルサイズが肥大化する傾向がある中、問題は次第に深刻化していました。

ext4では、ファイルを「エクステント」と呼ばれる単位で管理することで、この問題を低減しました（**図12**）。エクステントとは、連続した任意の数のブロックを一まとめにしたものです。

＊8　これらの制限は初期のLinuxカーネルがサポートしていたバージョン1.x系のMINIXのMINIX file systemのものです。最新版のバージョン3.x系のMINIXでは、これらの制限は緩和、あるいは解消されています。

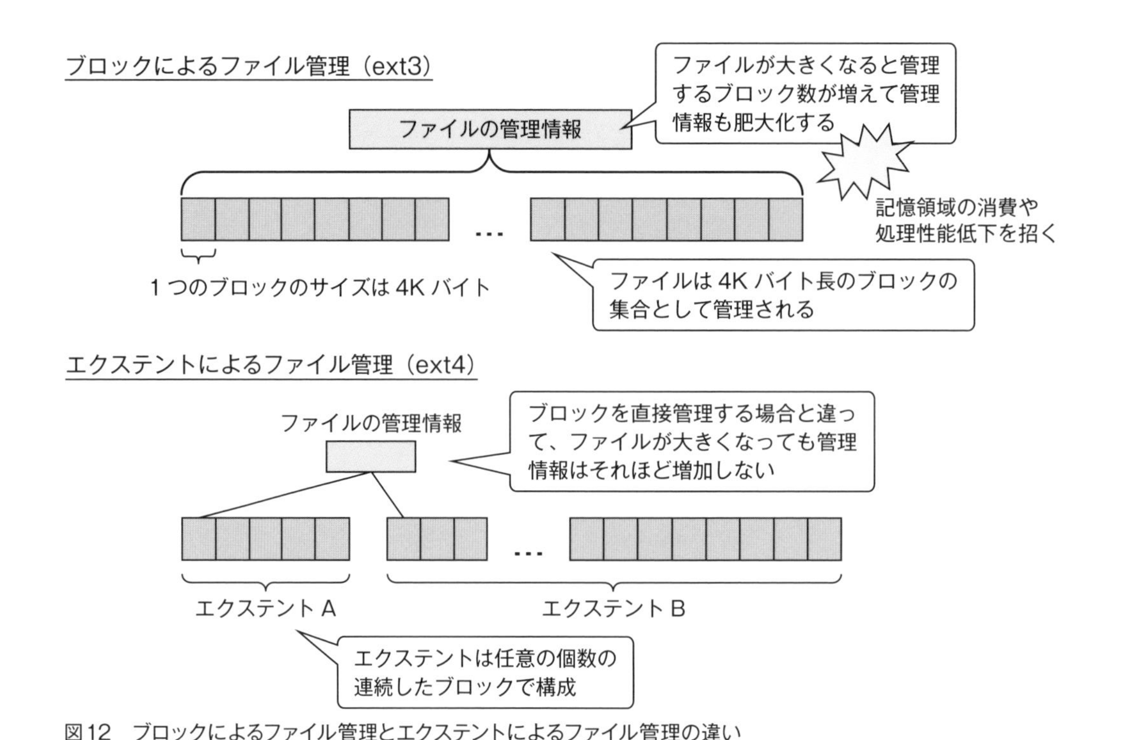

図12　ブロックによるファイル管理とエクステントによるファイル管理の違い

エクステントを使えば、サイズの大小にかかわらずファイルを効率的に管理できます。例えば前述の128Mバイトのファイルの場合は、連続した約3万3000個のブロックで構成されるエクステントが一つあれば管理できます。管理情報が少なくなれば、記憶領域の無駄も性能低下も抑えられます。

エクステントに基づくデータの管理のほかにも、ext4にはさまざまな機能強化が施されています。例えば、キャッシュデータが実際にディスクに書き出されるタイミングまで記憶装置上の空き領域の確保を遅らせることで、記憶装置上のデータ配置の無駄を低減する「遅延アロケーション」機能の追加や、ナノ秒単位の時刻記録、ジャーナルデータの破損検証用のチェックサム付加機能の追加などが挙げられます。また、ext3と同様にジャーナリングの仕組みを備えています。

ext3／ext4のジャーナリング

前述の通り、ext3とext4にはジャーナリングと呼ばれる仕組みが備わっています。

ジャーナリングの仕組みがないext2のようなファイルシステムでは、ファイルやファイルの管理用データ（メタデータ）の変更中に停電などによって処理が中断すると、ファイルやファイルシステムが破損する危険がありました。

この問題を解決する手段の一つがジャーナリングです。ジャーナリングに対応するファイルシステムでは、**図13**の手順でデータの変更処理を実施します。こうしておけば、どの段階で処理が中断しても、データが中途半端に変更されて破損することはありません。例えば、①の処理が中断した場合は、次回起動時に不完全なジャーナルが削除され、変更処理そのものがキャンセルされます。②の処理が中断した場合は、ジャーナルの情報を使って次回起動時に処理を再開できます。③の処理が中断して不完全なジャーナルが残った場合は、次回起動時にそれが削除されます。完全なジャーナルが残っている場合は、②と同じです。

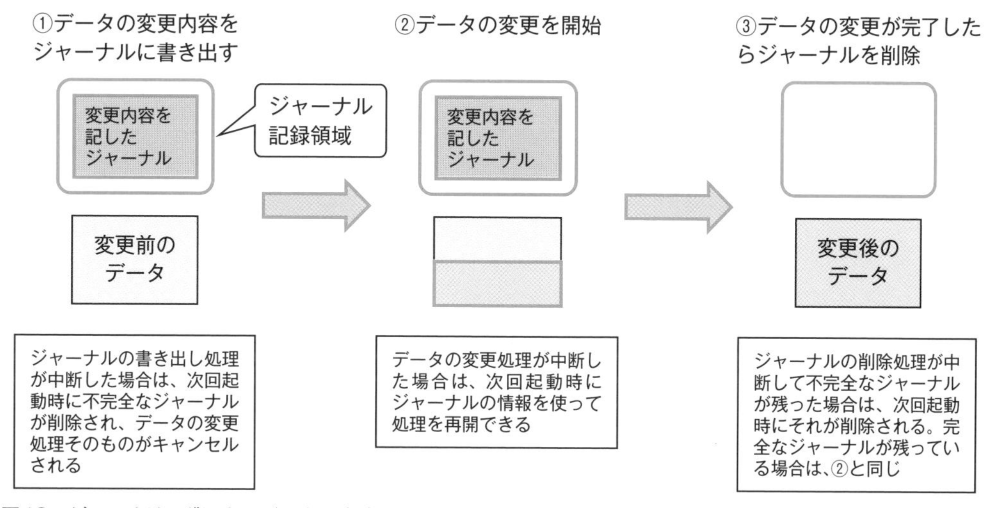

図13　ジャーナリングによるデータの安全な更新手順
どの段階で処理が中断しても、データが中途半端に変更されて破損することはありません。

ext3とext4には、**表3**の三つのジャーナリングモードが用意されています。ジャーナリングモードは、ファイルシステムのマウント時に「data=ジャーナリングモード」の書式のオプションを指定することで選択できます。例えば、「/dev/sdb1」というデバイスファイルが示すディスク区画にあるext4ファイルシステムを、journalモードで「/mnt」にマウントするには、次のコマンドを実行します。

```
$ sudo mount -t ext4 -o data=journal /dev/sdb1 /mnt ↵
```

無指定の場合は、orderedモードが選択されたとみなします。

表3　ext3／ext4の三つのジャーナリングモード

ジャーナリングモード	保護されるデータ	説明
writeback	メタデータ	メタデータだけをジャーナリングで保護する動作モード。XFSやJFSなど他のジャーナリングファイルシステムと同等の動作
ordered	メタデータ	ファイルデータの変更が完了してからメタデータを変更するという処理順序を保証することで、メタデータが不正なデータを指し示すことがないようにする。ただしデータはジャーナリングで保護されないので、処理中断による破損があり得る
journal	メタデータ、データ	メタデータもデータもジャーナリングで保護する動作モード。すべてのデータがストレージに2回書き込まれることになるので入出力速度は一番遅い

writebackモードとorderedモードは、メタデータの更新処理に対してだけジャーナリングを使用します。一方、journalモードは、メタデータに加えてファイルの更新処理に対してもジャーナリングを使用します。

最も安全性が高いのはjournalモードです。しかし、すべての更新データを2回書き込む必要があるので、処理速度の面でやや不利です。

なお、orderedモードでは、ファイルのデータを更新してからメタデータ更新用のジャーナルを書き出します。この順序を保つことで、メタデータだけが更新されて一見ファイルが書き換わったように見えるが、ファイルのデータが古いまま（あるいは中途半端に書き換えられた状態）になるというwritebackモードで生じる危険を避けられます。ただし、ファイルのデータの更新中に処理が中断すると、ファイルが中途半端に書き換えられた状態になってしまいます。

journalモードの動作を確認

ext2／ext3／ext4ファイルシステムの調査用コマンド「debugfs」を使うと、まだ消去されていないジャーナルのデータを閲覧できます＊9。ジャーナルのデータを閲覧するには、debugfsコマンドの実行後に「logdump」サブコマンドを実行します。

例えば、「/dev/sdb1」というデバイスファイルが示すディスク区画にあるext4ファイルシステムをjournalモードでマウントしていたとします。その場合は、**図14**のようにdebugfsコマンドとlogdumpサブコマンドを実行します。

```
$ sudo debugfs /dev/sdb1 ⏎
(略)
debugfs:  logdump -ac ⏎
(略)
 FS block 33280 logged at journal block 11 (flags 0xa)
  0000:  756e694c 656b2078 6c656e72 3d3d3d0a Linux kernel.===
  0010:  3d3d3d3d 3d3d3d3d 540a0a3d 65726568 =========..There
  0020:  65726120 76657320 6c617265 69756720  are several gui
  0030:  20736564 20726f66 6e72656b 64206c65 des for kernel d
  0040:  6c657665 7265706f 6e612073 73752064 evelopers and us
  0050:  2e737265 65685420 67206573 65646975 ers. These guide
  0060:  61632073 65620a6e 6e657220 65726564 s can.be rendere
  0070:  6e692064 6e206120 65626d75 666f2072 d in a number of
  0080:  726f6620 7374616d 696c202c 4820656b  formats, like H
  0090:  204c4d54 20646e61 2e464450 656c5020 TML and PDF. Ple
  00a0:  20657361 64616572 636f440a 6e656d75 ase read.Documen
  00b0:  69746174 612f6e6f 6e696d64 6975672d tation/admin-gui
  00c0:  522f6564 4d444145 73722e45 69662074 de/README.rst fi
(略)
```


図14　ジャーナルの内容を確認した例
/dev/sdb1上に作成したext4ファイルシステムをjournalモードでマウントし、そこにLinuxカーネルの「README」ファイルをコピーしてから、ジャーナルのデータを調べた様子です。コピーしたファイルのデータがジャーナルに記録されていることが分かります。

journalモードでext4ファイルシステムをマウントしている場合、図14の下のようにファイルに書き込んだデータが表示されるはずです。

＊9　ジャーナルデータは、メタデータやデータの更新後すぐに削除されるわけではありません。一旦無効化されてから、別のタイミングに削除されます。

8-5 Btrfsが安全性を保つ仕組み

2009年にバージョン2.6.29のLinuxカーネルに追加された「Btrfs」は、データの安全性を保つための仕組みを複数備え、さらに柔軟なストレージ管理やボリューム管理が可能な多機能ファイルシステムです。

ここでは、Btrfsが採用する「COW」(Copy on write) と呼ばれるデータ更新方式や、データの破損を検知して自動修正する仕組みについて紹介します。

COW方式で安全なデータ変更を実現

Btrfsの最大の特徴は、「COW」(Copy on write) 方式のデータ書き換えをする点です。COW方式では、データを書き換える際には、元のデータをコピーしてから、そのコピーに対して変更を加えます (**図15**)。そして、コピーに対する変更が完了してから、ファイルのメタデータが示す参照先を、元のデータ領域からコピー先のデータ領域に付け替えます。こうすることで、処理のどのタイミングでシステムが停止してしまっても、データが中途半端に書き換えられる心配がありません。

ファイルの元のデータ構成

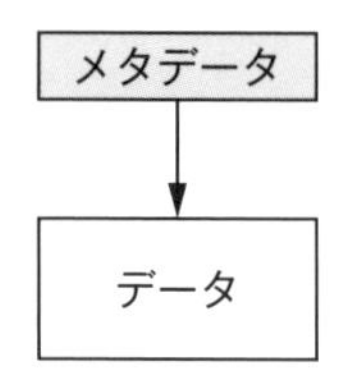

どのフェーズで処理が中断してもデータは元の状態か、変更後の状態のいずれかに保たれる。中途半端な書き換えによるデータ破損が生じないので安全

データ更新時の処理

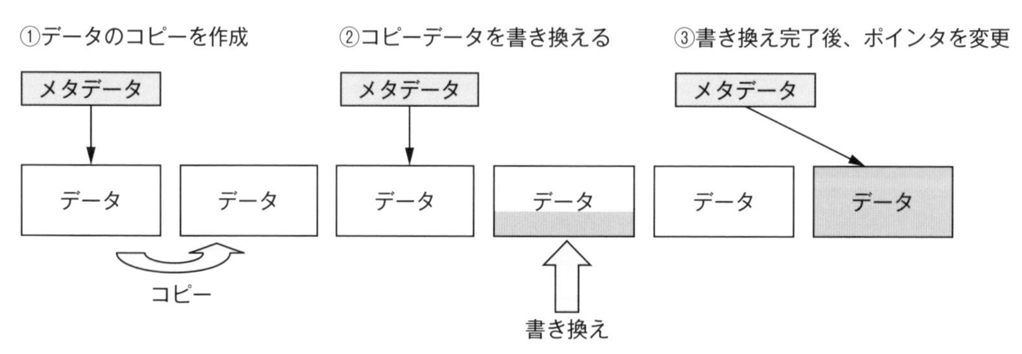

図15　COW方式によるデータ更新手順

Btrfsでは、ファイルのデータもメタデータもCOW方式で変更します。そのため、ジャーナリングを使わなくても同等の安全性を確保できます。

Btrfsでは、ext4と同様にエクステント単位でファイルのデータを管理します。さらにext4とは異なり、ファイルのメタデータについてもエクステント単位で管理します。そして、それらのエクステントは、**図16**のようなツリー構造（B-tree）で管理します＊10。Btrfsの名前は「B-tree File System」に由来します。

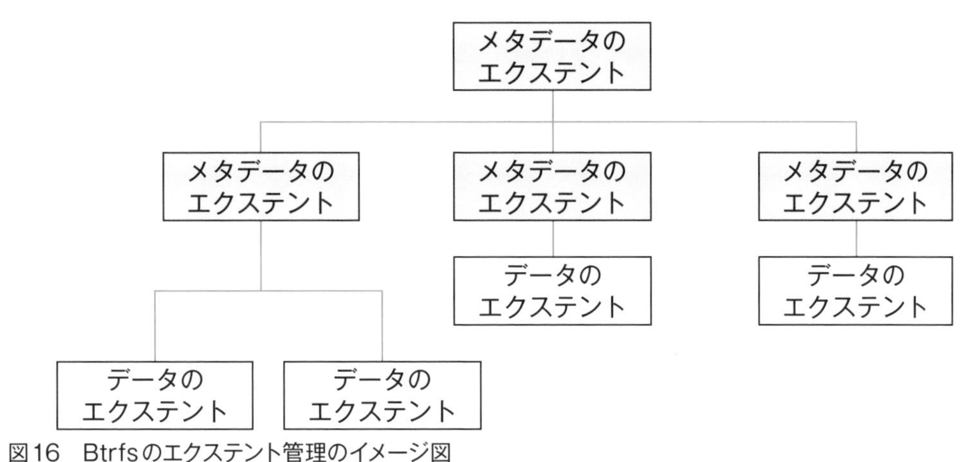

図16　Btrfsのエクステント管理のイメージ図
メタデータやデータのエクステントをツリー構造で管理します。

ツリー構造でファイルシステム全体を管理し、さらにCOW方式でデータを更新するBtrfsには、過去のデータが残りやすいという特徴があります。これを生かして、ある時点でのファイルシステム状態を保持し続ける「スナップショット」機能も実装されています（**図17**）。

＊10　図16は簡略化した図です。実際のデータ構造とは異なります。

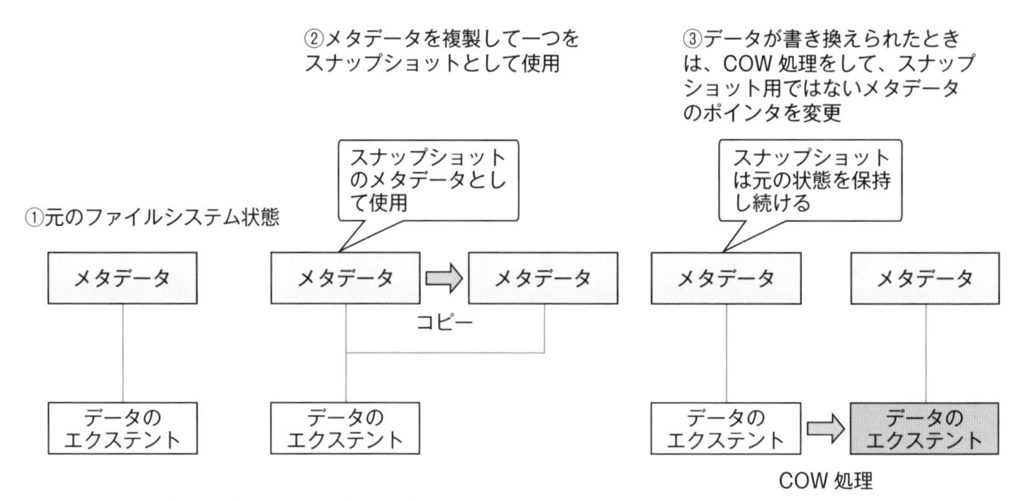

図17　スナップショットを実現する仕組み
Btrfsでは、ある時点でのファイルシステム状態を保持し続ける「スナップショット」を容易に作成できます。

実際にBtrfsのファイルのデータがエクステントで管理されているのか、またCOW方式でデータが更新されるのかを、Btrfsのファイルの構成を可視化できる「extent-info.py」（https://github.com/t-msn/btrfs-vis）というPythonスクリプトで調べてみました。

まず、Btrfsファイルシステム上のディレクトリーで次のコマンドを実行して、ランダムな400Kバイトのデータを持つ「sample.dat」というファイルを作成します。

```
$ dd if=/dev/urandom of=sample.dat bs=4096 count=100 ↵
$ sync ↵
```

作成したsample.datをextent-info.pyスクリプトで可視化した様子を**図18**①に示しました。一つのエクステントで構成されていることが分かります。

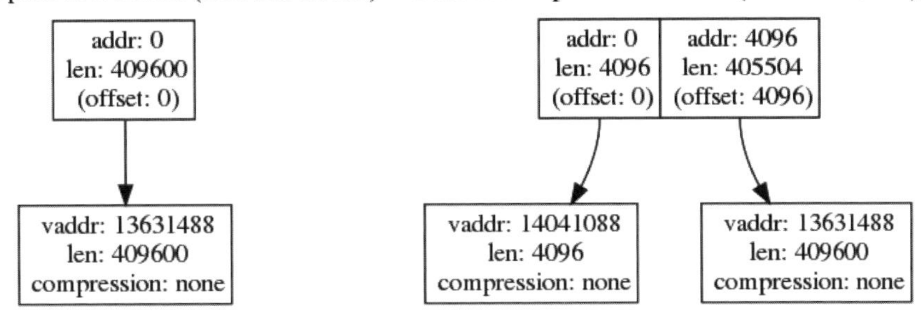

図18　Btrfsのファイルの構成を可視化した例
「extent-info.py」というPythonスクリプトで可視化した例です。

続いて、次のコマンドを実行して、sample.datファイルの先頭4バイトを「AAAA」というデータに書き換えます。

```
$ echo -n "AAAA" | dd of=sample.dat conv=notrunc ↵
$ sync ↵
```

変更後のsample.datをextent-info.pyスクリプトで可視化した様子は図18②の通りです。COW処理によって先頭に新しい4Kバイトのエクステント（つまり一つのブロック）が割り当てられていることと、既存のエクステントの参照開始位置（オフセット）が1ブロック分後方にずれていることが分かります。

チェックサムで破損を検知して自動修復

さらにBtrfsでは、エクステントを管理するメタデータ内にデータ変更検出用のチェックサム情報を記録します。これによって、エクステントのデータが破損していないかどうかをチェックできます。ext3やext4などの従来のLinux向けファイルシステムではこうしたチェックができず[*11]、宇宙線などの影響で記憶装置上のデータが気づかない間に破損する「サイレントクラッシュ」の危険がありました。

Btrfsでは、入出力処理のたびにエクステントのチェックサムを計算し、それを記録されているチェックサムと突き合わせます。チェックサムに不一致があれば、デー

＊11　ext4はメタデータとジャーナルにはチェックサム情報を付加できます。

タが破損したと判断して、冗長記録されているデータを使って自動修復します（**図19**）。Btrfsは、メタデータについては既定で2箇所に冗長記録します。ファイルのデータについても設定次第で冗長記録できます。

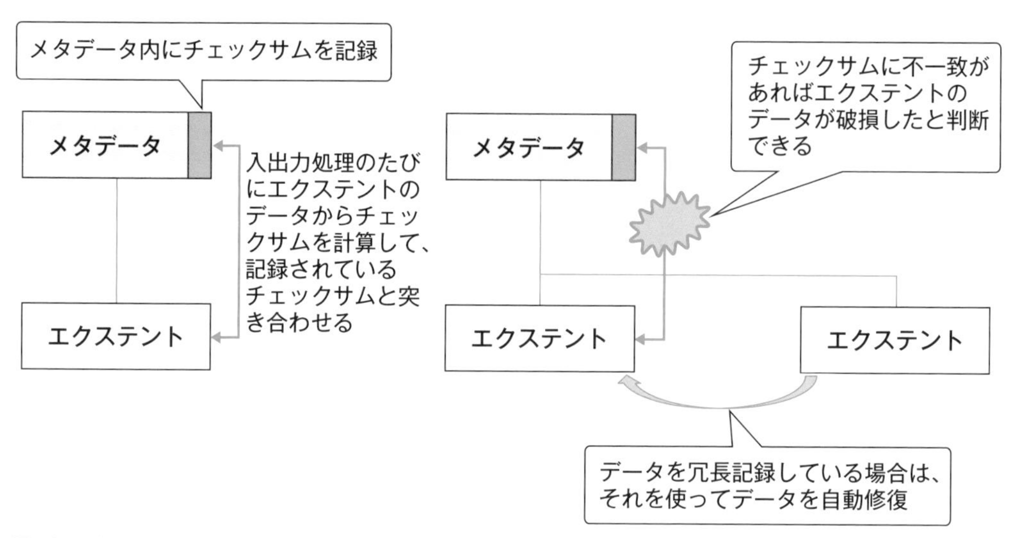

図19　チェックサムによってデータの破損を検知・修復できる
Btrfsでは、入出力処理の対象となるエクステントのチェックサムを処理のたびにチェックします。破損データが見つかった場合は、冗長記録されているデータを使って自動修復します。

なお、データを冗長記録していない場合も「データが破損したこと」自体は検知できるので、データが破損したことに気づかないまま重要な処理をする危険は回避できます。

またBtrfsでは、記録済みの全データの検証と修復を行う「scrub」処理が可能です。定期的にscrub処理を実施することで、データ破損を未然に防止できます。

索引

あ～お

か～こ

さ～そ

た～と

本書で利用する実習用ファイルの入手方法

本書を購入した方は、実習用ファイルを読者限定サイトから入手できます。電子版を購入された方も同様です。

読者限定サイトは、下記の公式ページをページを開き、「読者限定サイト」をクリックして開きます。認証画面が出た場合は、ユーザー名「linux」、パスワード「download」を入力してください。記事ごとにコンテンツが並んでいます。

訂正・補足情報について

本書の公式ページ「https://info.nikkeibp.co.jp/media/LIN/atcl/books/082500024/index.html」(短縮URL：https://nkbp.jp/lin-kernel-book)に掲載しています。

動かしながらゼロから学ぶ
Linuxカーネルの教科書

2020年9月14日　第1版第1刷発行

著　　者　末安 泰三
発 行 者　中野 淳
編　　集　日経Linux　岡地 伸晃
発　　行　日経BP
発　　売　日経BP マーケティング
〒105-8308　東京都港区虎ノ門4-3-12
装　　丁　横田 めぐみ(JMCインターナショナル)
制　　作　JMC インターナショナル
印刷・製本　図書印刷

ISBN　978-4-296-10695-0　　Printed in Japan